VICTORIA

de jonge koningin

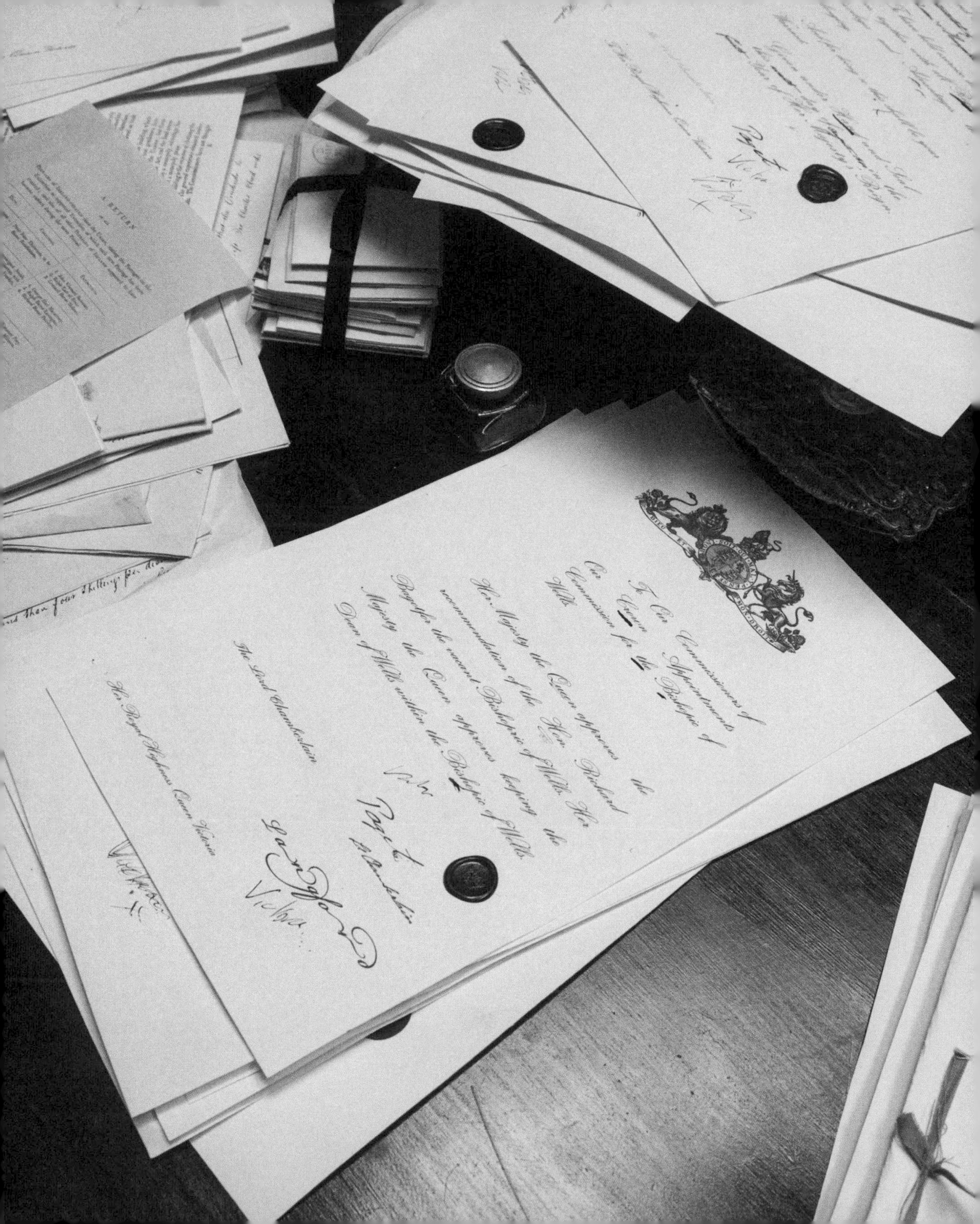

HELEN RAPPAPORT

MET EEN VOORWOORD VAN DAISY GOODWIN

VERTALING HILKE MAKKINK

INHOUD

Voorwoord ⁂ 7

Introductie ⁂ 11

Stamboom Huis Hannover, 1714–1837 ⁂ 14

KLEINE DRINA ⁂ 16

VAN KENSINGTON PALACE NAAR BUCKINGHAM PALACE ⁂ 44

DE JONGE KONINGIN ⁂ 70

LORD M. ⁂ 104

DE DUITSE SLOEBER ⁂ 132

DE HUISHOUDING VAN HARE MAJESTEIT ⁂ 162

DE HOFCULTUUR ONDER KONINGIN VICTORIA ⁂ 190

HET WELZIJN VAN MIJN VOLK ⁂ 212

GETROUWD ⁂ 242

ACHTER DE SCHERMEN ⁂ 270

Rolverdeling ⁂ 300

Fotoverantwoording ⁂ 303

VOORWOORD

Wie was koningin Victoria? Het beeld dat de meesten van ons hebben is van een oude, wat gezette vrouw met een kanten mutsje, geheel in het zwart gekleed – de vrouw die vereeuwigd is in talloze standbeelden door heel Groot-Brittannië. Tot 2015 was ze Engelands langst regerende monarch: gekroond in 1837, toen ze achttien was, en regerend tot aan haar dood in 1901, drieënzestig jaar later.

Hoewel de fotografie al in de beginjaren van haar regeerperiode uitgevonden was, werden de eerste foto's van Victoria en haar echtgenoot Albert pas genomen rond 1858, toen Victoria al negen kinderen had. Hierdoor hebben we geen foto's van de jonge Victoria, de tiener die op 20 juni 1837 plotseling koningin van het destijds machtigste land ter wereld werd. Maar wat we wel hebben zijn haar dagboeken, die een levendig beeld schetsen van dit gepassioneerde, eigenzinnige meisje. Hierin schrijft ze bijvoorbeeld over Albert, kort na hun verloving: 'Zojuist zag ik mijn liefste Albert in zijn witte kasjmieren rijbroek, met daaronder helemaal niets!' Of, na hun eerste afscheid voor langere tijd: 'O, wat hou ik toch van hem, zo intens, zo toegewijd, zo hartstochtelijk! Ik moest huilen en was zo verdrietig. Schreef in mijn dagboek. Ging wandelen. Huilde.'

Ik las Victoria's dagboeken voor het eerst toen ik aan de universiteit het negentiende-eeuwse Engeland bestudeerde; het meisje dat eruit naar voren kwam wist me onmiddellijk voor haar in te nemen. Jaren later, toen ik zelf een tienerdochter had met wie ik op een ochtend ruziemaakte, realiseerde ik me ineens dat ze ongeveer even oud en even lang (slechts één meter vijftig) was als Victoria toen die koningin werd. Ik dacht toen: wat als mijn dochter op een ochtend wakker zou worden en tot de ontdekking zou komen dat ze de beroemdste vrouw ter wereld was? Vanaf dat moment begon ik in mijn hoofd scènes te schrijven en ontstond het idee voor *Victoria,* de televisieserie.

Vanaf het begin wilde ik Victoria laten zien als een meisje dat moest opgroeien in het openbaar. De meesten van ons kunnen puberale fouten in alle beslotenheid maken, maar Victoria moest haar leven leiden onder het waakzame oog van haar hofhouding, de pers en het volk. Koninklijke spindoctors waren er nog niet in die tijd en wanneer Victoria een fout maakte, en in de eerste jaren van haar bewind beging ze een aantal ernstige fouten, had ze geen Rijksvoorlichtingdienst om zich achter te verschuilen. Er waren genoeg mensen die dachten dat een achttienjarige geen geschikte koningin kon zijn.

Maar wanneer je Victoria's eigen woorden leest, wordt al snel duidelijk dat deze vrouw heel goed wist wie ze was. Ondanks het feit dat elk aspect van haar jonge jaren gecontroleerd werd door haar moeder en haar adviseur sir John Conroy, liet Victoria zich niet door hen vormen. Vanaf het moment dat ze op de troon kwam was ze vastbesloten om de dingen op haar manier te doen. Een voorbeeld: als baby was ze Alexandrina Victoria gedoopt, naar haar peetvader, Alexander van Rusland, en haar moeder Victorine; als klein meisje was ze door haar moeder en gouvernante Lehzen altijd 'Drina' genoemd. Maar bij haar troonsbestijging besloot ze dat ze, in plaats van een koninklijke naam als Mary of Elizabeth aan te nemen, 'Queen Victoria' genoemd wilde worden – behoorlijk choquerend voor die tijd, aangezien de naam Victoria nooit eerder was gebruikt door een Engelse koningin. Maar Victoria, mijn heldin, wist instinctief dat het de juiste naam was voor haar. En zo gaf ze het startschot voor een periode die de geschiedenis in zou gaan als 'het victoriaanse tijdperk'.

Het meisje dat uit Victoria's dagboeken en brieven naar voren komt vormde voor mij de basis voor het personage dat in de serie zo fantastisch wordt neergezet door Jenna Coleman. Ik hoop dat het bekijken van de serie de mensen nieuwsgierig maakt naar Victoria en dit boek, zo prachtig samengesteld door Helen Rappaport, deskundige op het gebied van de negentiende eeuw. Het is de perfecte plek om te beginnen, mocht je wat meer over de geschiedenis achter de serie willen weten.

Ik hoop dat de serie en dit boek laten zien dat Victoria zeker als een soort heldin van onze tijd gezien kan worden. Haar worsteling om tegelijkertijd echtgenote, moeder en werkende vrouw te zijn, is iets waarin we herkenning kunnen vinden, over de eeuwen heen. En hoewel ze niet perfect was, was ze moedig en vastberaden, en heel wat meer dan een oude vrouw met een kanten mutsje.

–Daisy Goodwin, scenarioschrijfster van de televisieserie *Victoria*

INTRODUCTIE

HART EN ZIEL VAN EEN JONGE KONINGIN

'Elk vak moet worden geleerd, en het vak van constitutioneel monarch, wil je dat goed doen, is bijzonder moeilijk.'

···· KONING LEOPOLD AAN VICTORIA ····

···· 16 JANUARI 1838 ····

OVER WEINIG MONARCHEN IN DE BRITSE GESCHIEDENIS is zo uitgebreid geschreven als over koningin Victoria. Net als bij Hendrik VIII en Elizabeth I, lijkt het alsof we maar geen genoeg kunnen krijgen van nieuwe films en televisiedrama's over haar leven. Evenals haar twee charismatische Tudor-voorouders is koningin Victoria het onderwerp geweest van talloze interpretaties en herevaluaties en je zou dus kunnen denken dat er weinig nieuws meer over haar te vertellen valt, dat er geen onthullingen meer gedaan kunnen worden.

Tot nu toe concentreerden de meeste drama's zich op de oudere, meer volwassen koningin, en in het bijzonder op haar leven na Albert, als weduwe. Maar in deze nieuwe serie voor ITV nam scenarioschrijfster Daisy Goodwin Victoria's eerste onzekere voetstappen als monarch onder de loep.

'Dit boek van mama gekregen'

···· VICTORIA ····

Op 31 juli 1832 werd de eerste bladzijde van het verhaal van Victoria's lange leven geschreven. Die dag noteerde de toen dertienjarige prinses, op dat moment al de beoogde troonopvolgster voor Groot-Brittannië en Ierland, op het schutblad van het nieuwe, glimmende, roodleren dagboek dat ze van haar moeder had gekregen:

> *Dit boek van mama gekregen, zodat ik daarin over mijn reis naar Wales kan schrijven.*
>
> --Victoria's dagboek, 31 juli 1832

In de daaropvolgende 70 jaar groeide dit uit tot 141 handgeschreven dagboeken: wat was begonnen als een educatieve oefening in het vastleggen van alledaagse gebeurtenissen in haar jonge leven en dagelijks ingezien door haar gouvernante en moeder, is waarschijnlijk het grootste en langstdurende persoonlijke verslag van welke koningin uit de geschiedenis dan ook.

De jonge prinses Victoria gaf vanaf haar eerste kinderlijke observaties van mensen, plekken en gebeurtenissen al een gedetailleerde beschrijving van haar dagelijkse leven op Kensington Palace, haar liefde voor haar poppen en haar hond Dash, en ze sprak fel over haar isolement van de buitenwereld. Ter gelegenheid van haar troonsbestijging in 1837 en de verhuizing naar Buckingham Palace vulde ze bladzijdes van haar dagboek met fascinerende beschrijvingen van de mensen die op haar de meeste indruk maakten (zoals bijvoorbeeld haar eerste premier, lord Melbourne), haar verwachtingen en ambities wat betreft de enorme verantwoordelijkheid die nu plotseling op haar jonge schouders rustte, en de vreugde over het vinden van liefde en een gelukkig huwelijk, zo zeldzaam binnen het dynastieke stelsel van die tijd.

Naast haar dagboeken schetsen ook koningin Victoria's vele brieven vanaf 1832 het beeld van een koningin in wording en tonen ze haar worsteling met sommige van de uitdagende politieke kwesties uit haar tijd en hoe ze haar eerste moeilijke beslissingen als koningin nam.

Samen met de televisieserie vertelt dit boek het ontroerende en intieme verhaal van de jonge prinses die in 1837 koningin werd, nauwkeurig gebaseerd op haar dagboeken en brieven, inclusief veel citaten. *Victoria - de jonge koningin* schetst uit de eerste hand een beeld van de koningin die Engelands een na langst regerende monarch na koningin Elizabeth II werd, met al haar nukken en eigenaardigheden, haar vurigheid en haar barmhartigheid.

-Helen Rappaport, juni 2016

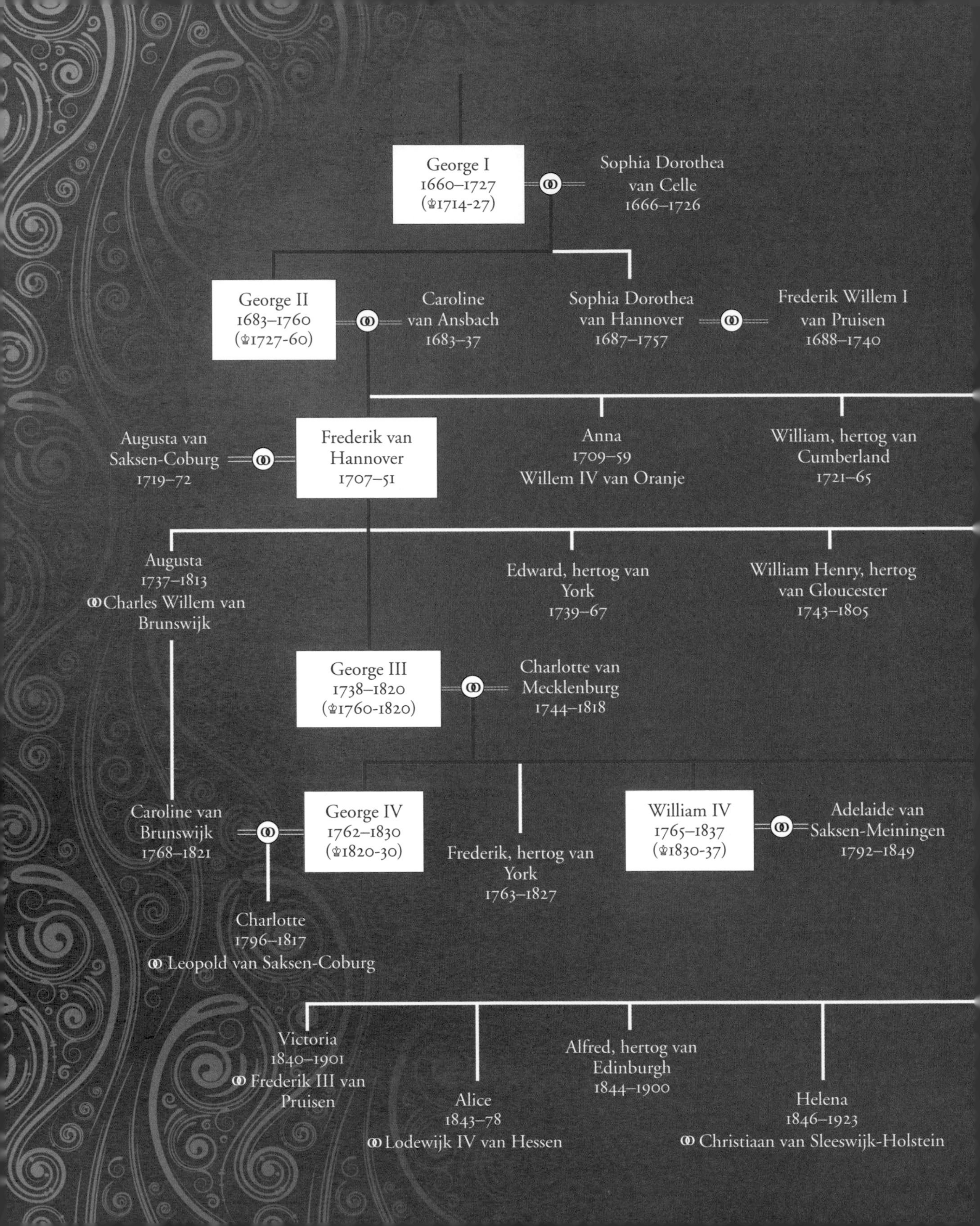

George I 1660–1727 (♔1714-27)
Sophia Dorothea van Celle 1666–1726
George II 1683–1760 (♔1727-60)
Caroline van Ansbach 1683–37
Sophia Dorothea van Hannover 1687–1757
Frederik Willem I van Pruisen 1688–1740
Augusta van Saksen-Coburg 1719–72
Frederik van Hannover 1707–51
Anna 1709–59 Willem IV van Oranje
William, hertog van Cumberland 1721–65
Augusta 1737–1813 ⚭ Charles Willem van Brunswijk
Edward, hertog van York 1739–67
William Henry, hertog van Gloucester 1743–1805
George III 1738–1820 (♔1760-1820)
Charlotte van Mecklenburg 1744–1818
Caroline van Brunswijk 1768–1821
George IV 1762–1830 (♔1820-30)
Frederik, hertog van York 1763–1827
William IV 1765–1837 (♔1830-37)
Adelaide van Saksen-Meiningen 1792–1849
Charlotte 1796–1817 ⚭ Leopold van Saksen-Coburg
Victoria 1840–1901 ⚭ Frederik III van Pruisen
Alice 1843–78 ⚭ Lodewijk IV van Hessen
Alfred, hertog van Edinburgh 1844–1900
Helena 1846–1923 ⚭ Christiaan van Sleeswijk-Holstein

HUIS HANNOVER

STAMBOOM 1714–1837

Mary
1723–72
ꝏ Frederik II van Hessen-Kassel

Louise
1724–51
ꝏ Frederik V van Denemarken

Henry, hertog van Cumberland
1745–90

Caroline Matilda
1751–75
ꝏ Christiaan VII van Denemarken

Edward, hertog van Kent
1767–1820
ꝏ Victoria van Saksen-Coburg

Ernst, hertog van Cumberland
1771–1851

Augustus, hertog van Sussex
1773–1843

Adolf, hertog van Cambridge
1774–1850

VICTORIA
1819–1901
(♔1837-1901)

ꝏ

Albert van Saksen-Coburg en Gotha
1819–61

Alexandra van Denemarken
1844-1925

ꝏ

Edward VII
1841–1910
(♔1901-10)

Louise
1848–1939

Arthur, hertog van Connaught
1850–1942

Leopold, hertog van Albany
1853–84

Beatrice
1857–1944
ꝏ Henry van Battenberg

KLEINE DRINA

Dear Mama
A very, very
happy new-year.
Victoria.
1825

'Het was een nogal melancholische jeugd'

···· VICTORIA ····

Op 28 april 1819 reed vanuit Amorbach in Beieren een allegaartje van twintig rijtuigen, stoffig en smerig na een reis van dertig dagen over hobbelige wegen, rammelend de oprit van Kensington Palace in Londen op. De reis die de uitgeputte inzittenden – samen met een berg aan bagage, twee Russische schoothondjes en een kooi met zangvogels – zojuist achter de rug hadden, was een koortsachtige race tegen de klok geweest, om ervoor te zorgen dat de eerste wettige troonopvolger die via een van de zonen van George III geboren zou worden, in Engeland ter wereld kwam.

De toekomstige ouders waren Edward, hertog van Kent – de vierde van de negen zoons van George III – en zijn vrouw, Marie Louise Victoire, voormalig prinses van het Duitse hertogdom Saksen-Coburg-Saalfeld. Tot dan toe hadden ze in Amorbach gewoond, onder erbarmelijke omstandigheden – door een opeenstapeling van schulden als gevolg van het exorbitante uitgavepatroon van de hertog, waar hij na het afronden van zijn militaire opleiding maar geen weerstand aan kon bieden.

De dood van prinses Charlotte van Wales (de nicht van de hertog en schoonzus van de hertogin), die in 1817 op tragische wijze om het leven gekomen was, had hun enige hoop op een betere toekomst gegeven. Mocht de hertog zijn oudere, kinderloze broers overleven, dan zou hij koning worden. En het kind dat zijn vrouw nu elk moment kon baren, het kind dat hen waarschijnlijk allemaal zou gaan overleven, zou vijfde in lijn voor de Britse troon zijn.

In 1817 was de hertog van Kent vijftig geworden. Vastbesloten om te trouwen en voor een erfgenaam te zorgen, had hij het jaar ervoor zijn jarenlange Franse minnares, madame De Saint-Laurent, haar congé gegeven - voorzien van een pensioen, omdat ze zonder problemen te maken vertrokken was – om op zoek te gaan naar een geschikte echtgenote. Als zoon van koning George III besefte hij dat zijn huwelijk met Victoire van Saksen-Coburg verre van ideaal was. Dynastiek gezien stond ze tamelijk onder aan de ladder en dan was ze ook nog eens een weduwe met twee kinderen. Maar in de ogen van het volk moest de hertog zijn aanspraak op de troon legitimeren door te trouwen en een fatsoenlijke huisvader te worden.

Ondanks de uitputtende 690 kilometer lange reis vanaf het continent beviel de hertogin van Kent, die hiervan geen nadelige gevolgen leek te hebben ondervonden, op 24 mei om kwart over vier in de morgen van een mooie, blonde en mollige baby. Het meisje leek op haar vader, met de onmiskenbare grote blauwe ogen van de Hannoverianen. De geboorte zorgde ervoor dat het Britse volk unaniem een zucht van verlichting slaakte, aangezien deze samenviel met een van de aanvallen van waanzin van de oude koning George III en het regentschap van zijn oudste, impopulaire zoon George.

Numb. 17480.

The London

Published by Aut

TUESDAY, MAY 25,

Kensington-Palace, May 24, 1819.

THIS morning, at a quarter past four o'clock, the Duchess of Kent was happily delivered of a Princess. His Royal Highness the Duke of Sussex, His Grace the Archbishop of Canterbury, His Grace the Duke of Wellington, Master-General of the Ordnance, the Marquess of Lansdowne, the Earl Bathurst, one of His Majesty's Principal Secretaries of State, the Bishop of London, the Chancellor of the Exchequer, and the Right Honourable George Canning, First Commissioner for the Affairs of India, were in attendance.

Her Royal Highness is, God be praised, as well as can be expected, and the young Princess is in perfect health.

Carlton-House, May 20, 1819.

This day His Royal Highness the Prince Regent, in the name and on the behalf of His Majesty, was

HERTOGIN VAN KENT:

In die koets vanuit Amorbach, dwars door Frankrijk, zodat jij in Engeland geboren kon worden - wat was ik bang dat je te vroeg zou komen en dat die gemene ooms van je zouden zeggen dat je niet Engels was.

Rechtsboven: Aankondiging van de koninklijke geboorte in *The London Gazette*
Hierboven: 'Blond en mollig' – baby Victoria

De hertogin van Kent had de diensten van een mannelijke arts bij de geboorte geweigerd en in plaats daarvan de Duitse verloskundige van de familie meegebracht, Marianne Siebold – een van de eerste vrouwelijke artsen van Europa. Siebold meldde de geboorte aan de hoogwaardigheidsbekleders die zich in de hal verzameld hadden om te getuigen van de rechtmatigheid ervan. Onder hen de hertog van Wellington. 'Jongen of meisje?' vroeg hij haar.

'Meisje,' antwoordde de dokter, waarna ze er met haar sterke Duitse accent aan toevoegde: 'Heel mooie baby. Niet diek, maar gevuuld. U weet wel, wenig bot, viel fett.'

Slechts drie maanden later zou Marianne Siebold nog een baby op de wereld zetten, op kasteel Rosenau in de buurt van Coburg – de zoon van de broer van de hertogin van Kent, en dus een neefje van de kleine prinses. Vanaf het begin was de grootmoeder van de twee baby's, de hertogin douairière van Saksen-Coburg-Saalfeld, vastbesloten dat haar kleinzoon Albert en haar geliefde nieuwe kleindochter op een dag zouden trouwen. Vanuit haar thuisstad Ebersdorf schreef ze vol bewondering over de kleine Albert. 'Hij zou een geweldig tegenwicht zijn voor zijn knappe nichtje,' merkte ze op; waarmee het koppelen in gang gezet werd.

Hierboven: Een jonge prins Albert, Victoria's neefje en jonge huwelijkskandidaat
Volgende bladzijde: Prinses Charlotte; haar dood bracht Victoria dichter bij de troon.

PRINSES CHARLOTTE

'Misschien had ze gered kunnen worden, als ze niet al zo verzwakt was geweest'

···· VICTORIA ····

CHARLOTTE (GEBOREN IN 1796), enig kind van prins-regent George en zijn vrouw Caroline van Brunswijk, was tot aan haar dood het enige wettige kleinkind van George III. Ze was hartelijk, charmant en impulsief en stond onder druk om een dynastiek lucratieve verbintenis te waarborgen door te trouwen met de Nederlandse kroonprins Willem, de prins van Oranje. Maar Charlotte probeerde wanhopig zich te onttrekken aan dit huwelijk en ging op zoek naar een andere kandidaat. Nadat ze Leopold van Saksen-Coburg-Saalfeld ontmoet had, smeekte ze haar vader om toestemming om met hem te mogen trouwen.

Alexander I van Rusland redde de situatie door zijn zus Anna Paulowna aan de prins van Oranje aan te bieden en de prins-regent gaf Charlotte toestemming om met Leopold te trouwen, een huwelijk dat in 1816 plaatsvond. Het leek een gelukkig paar en ze waren geliefd bij het Britse volk, dat door het dolle heen was toen in 1817 het nieuws van de zwangerschap van hun geliefde prinses bekendgemaakt werd.

Hoewel Charlotte een forse en gezonde vrouw was, werd ze op een strikt dieet gezet en had ze veel last van bloedingen tijdens de zwangerschap. Na een vreselijke en slepende bevalling van twee dagen, verergerd door incompetente artsen, beviel ze op 5 november 1817 van een doodgeboren zoontje. Vlak erna kreeg ze een bloeding, waarna ze in shock raakte en door uitputting overleed. Haar dood zorgde voor ongekende rouw onder het volk: de opeenvolgende dood van twee troonopvolgers werd gezien als een nationale ramp en vormde een potentiële crisis binnen de monarchie. Wat volgde was een race tussen de overlevende zoons van George III; wie van hen zou als eerste een wettig kind verwekken dat Charlottes plek in kon nemen? Adelaide, echtgenote van de hertog van Clarence (de latere William IV), hoopte van een erfgenaam te bevallen, maar verloor tussen 1819 en 1822 al haar vier baby's.

Na het verlies van zijn vrouw en kind maakte Leopold er zijn levensdoel van om zijn nichtje Victoria voor te bereiden op de troon die eigenlijk voor Charlotte bestemd geweest was.

Victoria's opgetogen vader beschreef zijn nieuwe dochtertje als 'lekker mollig' en was enorm trots en beschermend, op het belachelijke af. 'Laat haar niet vallen! Laat haar niet vallen! Dit is misschien wel de toekomstige koningin!' had hij tegen de bisschop van Salisbury gezegd, toen die kort na de geboorte op bezoek kwam en de baby wat onhandig oppakte. Met de koninklijke vooruitzichten van zijn dochter in gedachten gaf de hertog te kennen dat hij haar graag Elizabeth wilde noemen, naar de grote Tudor-koningin, maar in plaats daarvan koos de prins-regent tijdens de doop de naam Alexandrina, naar de peetvader van de baby, tsaar Alexander I van Rusland, onlangs nog Engelands bondgenoot tijdens de oorlog tegen Napoleon. En daarna, na wat heen-en-weergedraai, en terwijl iedereen zich vol verwachting rondom de doopvont schaarde, ging hij ook nog akkoord met een tweede naam, Victoire, naar haar moeder. En hoewel ze de eerste jaren van haar leven door haar Duitse moeder en grootmoeder liefdevol *Maiblümchen* (lelietje-van-dalen) genoemd werd, zou de prinses die in 1837 koningin zou worden vooral bekendstaan als Drina.

Helaas kwam er aan de eerste gelukkige maanden van Drina's leven een plotseling einde toen, tijdens een verblijf aan zee in Sidmouth in Devon, haar vader kouvatte en overleed aan een longontsteking. Zijn laatste woorden waren een smeekbede aan God, om zijn vrouw en kind te beschermen.

Hoewel ze haar vader nooit echt gekend had, merkte Victoria later eens op: 'Mij is altijd geleerd dat ik een soldatenkind ben.' Ze had een nogal rooskleurig beeld van haar vaders lange en niet altijd even glorieuze militaire carrière, waardoor ze een levenslange bewondering voor het leger behield. Maar ze miste zijn aanwezigheid en zou haar hele leven, wellicht ter compensatie, een hele rits sterke vaderfiguren om zich heen verzamelen.

Zes dagen na de dood van de hertog stierf ook zijn vader, koning George III. Binnen een week tijd was kleine baby Drina een heel stuk dichter bij de troon gekomen.

Hierboven: De hertog van Kent, Victoria's vader en vierde zoon van George III

A Front View of the ROYAL PA

KENSINGTON PALACE

'Mijn dierbare ouderlijk huis'

···· VICTORIA ····

Het oorspronkelijke Kensington Palace, gebouwd in 1661 aan de westelijke rand van Hyde Park, was een jakobijns herenhuis van rood baksteen, gelegen in wat destijds een prachtig, rustig park met kastanje- en beukenbomen was. Het was in 1689 door de koninklijke familie gekocht voor koning Willem III, omdat het vochtige paleis aan de rivier in Whitehall niet bevorderlijk voor zijn astma was. Tijdens Willems bewind werd het interieur van het huis onder leiding van architect sir Christopher Wren rigoureus gerenoveerd. Koningin Anne vond het zo mooi dat ze er in 1704 een grote orangerie aan toevoegde en George I liet tussen 1723 en 1727 de prachtige tuinen aanleggen door landschapsarchitect William Kent.

Er werd echter weinig geld gespendeerd aan het onderhoud van de buitenkant en na de dood van George II in 1760 werd het paleis niet langer gebruikt als koninklijke residentie. Nadat Buckingham House (later: Palace) gebouwd was in het centrum van Londen, gaf George III er de voorkeur aan om daar te wonen en zo werd Kensington de residentie voor de minder belangrijke leden van de koninklijke familie. De hertog van Kent, de vader van Victoria, had in 1798 twee verdiepingen tot zijn beschikking gekregen, die hij voor veel geld opnieuw liet stofferen met nieuwe gordijnen en bedluifels. De nieuwe stoffering veranderde echter weinig aan het donkere en naargeestige interieur, dat al jaren vergeven was van de kakkerlakken en andere insecten, en de toenemende schulden van de hertog dwongen hem dan ook om zijn toevlucht elders te zoeken. Tegen de tijd dat Victoria geboren werd, was de enig overgebleven bewoner van Kensington Palace haar nogal enge en excentrieke oom Sussex. Zoals ze zich later herinnerde:

Mijn vroegste herinneringen heb ik aan Kensington Palace. Ik weet nog dat ik over een geel vloerkleed kroop dat speciaal voor dat doel daar neergelegd was. Mij werd verteld dat als ik huilde en stout was, mijn oom Sussex dat zou horen en me zou straffen. Ik schreeuwde het daarom altijd uit als ik hem zag!

Victoria's herinneringen aan haar vroege kinderjaren, opgeschreven in 1872

....
Vorige bladzijde: Kensington Palace, waar Victoria opgroeide.

Oom William en tante Adelaide sturen die lieve kleine Victoria de hartelijke groeten en felicitaties voor haar verjaardag en hopen dat ze, nu ze al drie jaar is, een braaf meisje zal zijn. Ook vragen oom William en tante Adelaide de kleine Victoria om haar lieve mama en Sissi namens hen een kus te geven, en ook aan tante Augusta, tante Mary en tante Sophia, en natuurlijk aan de grote pop. Oom William en tante Adelaide vinden het erg jammer dat ze er op deze dag niet bij kunnen zijn en dat ze hun lieve, lieve kleine Victoria niet kunnen zien, maar ze weten zeker dat ze op deze dag heel lief en gehoorzaam zal zijn voor haar lieve mama en ook op alle dagen daarna. Bovendien hopen ze dat de lieve kleine Victoria hen niet zal vergeten en hen nog zal herkennen wanneer oom en tante weer terugkeren.

Brief van de hertogin van Clarence, de latere koningin Adelaide, aan Victoria, 24 mei 1822

Mijn liefste oom – ik wens u een heel fijne verjaardag en nog vele jaren; ik denk vaak aan u en hoop dat ik u snel weer zal zien, omdat ik u erg lief vind. Mijn tante Sophia zie ik vaak, ze ziet er goed uit en het gaat goed met haar. Ik gebruik elke dag uw mooie soepbord. Is het erg warm in Italië? Hier is het zo zacht, dat ik elke dag naar buiten ga. Met mama gaat het redelijk goed en ook met mij. Uw liefhebbende nichtje, Victoria.
PS Ik ben heel boos op u, oom, omdat u mij sinds uw vertrek nog niet één keer geschreven heeft en dat is al heel lang geleden.

Brief van Victoria aan Leopold, 25 november 1828

HET LEVEN VAN DE JONGE VICTORIA op Kensington Palace verliep over het algemeen rustig en bedaard:

> *We leefden heel eenvoudig; ontbijt om half negen, lunch om half twee, diner om zeven uur – waarbij ik meestal (behalve wanneer een groot diner plaatsvond) – mijn brood met melk uit een klein zilveren schaaltje at. Thee werd pas jaren later toegestaan, als bijzondere traktatie.*
>
> –VICTORIA'S HERINNERINGEN AAN HAAR VROEGE KINDERJAREN, OPGESCHREVEN IN 1872

MEVROUW JENKINS:
Denk je eens in dat ze nooit een nacht alleen sliep of zelfs maar de trap af liep zonder dat ze iemands hand vast moest houden en nu is ze koningin.

De hertogin, die haar dierbare dochtertje op Kensington wilde behoeden voor de schadelijke invloeden van de hofhouding en van haar roofzuchtige Hannoveriaanse ooms, liet het met chintz beklede bedje van de kleine Drina naast dat van haarzelf neerzetten. 'Ik ben heel eenvoudig opgevoed, kreeg pas een eigen kamer toen ik al bijna volwassen was en sliep altijd bij mijn moeder in de kamer, totdat ik op de troon kwam,' schreef Victoria later.

Aan de andere kant van het bed van de hertogin sliep Feodora, haar dochter uit haar eerdere huwelijk. Omdat ze maar zo weinig speelkameraadjes had, die ook nog eens heel streng geselecteerd werden, hing Drina erg aan haar geliefde halfzusje. Feodora verwende haar en nam haar 's ochtends vaak nog even bij haar in bed; ze vond niets zo leuk als haar kleine zusje in de wandelwagen door de tuinen te duwen. Maar omdat alle aandacht uitging naar Drina, bleef Feodora altijd iemand in de schaduw. Zoals ze zelf zei, 'een bedeesd toeschouwer' in het leven van haar veel belangrijkere halfzus.

Victoria adoreerde haar: 'Mijn lieve zuster was mijn vriendin, zus en metgezel ineen, we deelden vaak dezelfde gevoelens, vonden dezelfde dingen grappig,' schreef ze later. Ze had er moeite mee dat er zo weinig aandacht uitging naar die lieve Fidi, zoals ze haar noemde. 'Waarom nemen alle heren hun hoed af voor mij, en niet voor Feodora?' vroeg ze eens.

CATHERINE H. FLEMMING SPEELT DE HERTOGIN:

'Met al het politieke gemanoeuvreer rondom de jonge Victoria wilde haar moeder voorkomen dat ze het verkeerde pad zou kiezen. Conroy stond de hertogin bij en was de enige persoon die ze vertrouwde. De hertogin bleef aan het hof, ook al was ze daar een complete eenling. Nooit lukte het haar om de coterie van het Engelse koningshuis binnen te dringen. Ze bleef altijd iemand die vanaf de zijlijn toekeek, als een soort spion, teneinde haar dochter te beschermen.'

HERTOGIN VAN KENT

- VICTORIA'S MOEDER -

'Alsof je met de vijand onder één dak woont'

···· VICTORIA ····

De hertogin van Kent was in 1786 geboren als Marie Louise Victoire, dochter van de hertog van Saksen-Coburg-Saalfeld en diens vrouw Augusta. Ze was de zus van Leopold, koning van België, en Ernst I, hertog van Saksen-Coburg en Gotha, prins Alberts vader. Op zeventienjarige leeftijd trouwde ze met de prins van Leiningen, drieëntwintig jaar ouder dan zij, met wie ze twee kinderen kreeg, Charles in 1804 en Feodora in 1807. Nadat ze in 1814 weduwe geworden was, werd ze door haar ambitieuze broer Leopold richting de ongetrouwde hertog van Kent gemanoeuvreerd, in de wetenschap dat de hertog maar wat graag een Britse troonopvolger wilde leveren.

Hoewel het op papier een lucratieve koninklijke match was voor het relatief laag in aanzien staande huis Saksen-Coburg, werd het korte gemeenschappelijke leven van de hertog en de hertogin geplaagd door financiële onzekerheid en een eindeloze vlucht door Europa voor hun schuldeisers. Toen de hertog in 1820 onverwacht overleed bleef Victoire berooid en sociaal geïsoleerd achter, totdat Leopold, gefocust op de troonsbestijging van zijn nichtje, Victoire vrijkocht met behulp van een lijfrente.

Vervreemd van het hof en de nieuwe koning William IV, die een enorme hekel aan haar had, trok de hertogin zich met haar dochtertje terug op Kensington Palace. Door haar kwetsbaarheid, in combinatie met het geïsoleerde leven en het feit dat ze geen vrienden had, was ze gevoelig voor de dominante invloed van het hoofd van de hofhouding, sir John Conroy, die het slechtste in haar naar boven wist te halen door haar aan te moedigen in haar ambities om regentes te worden. Dit wetende en woest over de constante druk vanuit de hertogin, vocht William ervoor om in leven te blijven totdat zijn nichtje Victoria in mei 1837 haar achttiende verjaardag vierde.

Eenmaal op de troon verbande Victoria haar moeder genadeloos naar een apart appartement, en pas veel later verzoenden moeder en dochter zich met elkaar, dankzij prins Albert.

VANAF DRINA'S VIERDE VERJAARDAG ging er een nauwlettend gevolgd regime in, later bekend geworden als het 'Kensingtonsysteem'. Het was ontworpen door de hertogin, op advies van sir John Conroy. Conroy, die eerder gewerkt had als stalmeester voor de hertog van Kent, had sinds diens dood een behoorlijke invloed op de hertogin en haar financiële aangelegenheden weten te krijgen. Het systeem van algemene isolatie van het jonge en beïnvloedbare kind – geholpen door Drina's gouvernante, *Fräulein* Louise Lehzen – was opgezet om alle invloeden van buiten af te weren: die invloeden konden een gevaar vormen voor de onverdeelde loyaliteit van het kleine meisje voor haar moeder, en voor de aspiraties van de hertogin voor Drina's troonsbestijging en haar eigen regentschap, mocht dit voor Drina's achttiende verjaardag aan de orde komen. Het was voor zowel Conroy als de hertogin van belang om Drina van hen afhankelijk te houden en weerstand te bieden aan elke poging van de koning om haar, als toekomstige koningin, bij hem aan het hof te laten wonen. Het gevolg van deze handelswijze was dat de liefde van het kleine meisje veranderde in afkeer en ten slotte zelfs in haat.

Drina's dagelijkse opvoeding verliep volgens een vast patroon. Na het ontbijt ging ze tot tien uur naar buiten. Ze maakte een rit op haar ezel of reed met haar kleine ponywagen in de tuinen van het paleis. De daaropvolgende twee uur werd ze door haar moeder onderwezen, geassisteerd door Lehzen (die oorspronkelijk Feodora's gouvernante

Rechts: Een jonge Victoria

geweest en in 1824 als plaatsvervangend gouvernante voor Drina aangesteld was). Om twee uur zorgde 'Dear Boppy' – mevrouw Brock, haar kindermeisje – voor een eenvoudige lunch, die weer gevolgd werd door lessen tot vier uur, waarna Drina opnieuw naar buiten ging voor wat beweging. Om zeven uur volgde opnieuw een eenvoudige maaltijd van brood en melk, en om stipt negen uur werd ze ingestopt in het bed naast dat van haar moeder. Altijd werd het kind in de gaten gehouden, bemoederd en behoed voor eventueel letsel. Ze mocht niet eens de trap op en af zonder daarbij de hand van een volwassene vast te houden.

Voorafgaand aan Drina's reguliere onderwijs waarschuwde haar moeder haar leraar, de eerwaarde George Davys: 'Ik vrees dat u erachter zult komen dat mijn kleine meisje nogal koppig is, maar de hofdames verwennen haar.'

De koningin gaf zelf later ruiterlijk toe dat ze aanvankelijk met tegenzin naar haar lessen ging: 'Tot mijn vijfde saboteerde ik elke poging om mij de letters van het alfabet te laten leren, waarna ik overstag ging door ze voor me te laten opschrijven.'

Het was Davys' taak om Drina het alfabet en de juiste uitspraak bij te brengen: ze moest het duidelijke Duitse accent dat ze van haar moeder had meegekregen afleren. Feodora hielp haar ook met spelling, waaronder het opstellen van een van de eerste, zeer directe, briefjes van het vierenhalf jaar oude meisje, gericht aan de eerwaarde Davys:

> *GEACHTE MENEER, IK ZAL MIJN LETTERS NIET VERGETEN, EN U OOK NIET.* – VICTORIA

Lezen was ook erg belangrijk in Victoria's opvoeding – met name de Bijbel en andere geestelijke lectuur. Af en toe stond haar moeder wat poëzie toe, maar fictie bijna nooit.

De heer Stewart van de Westminster School kwam speciaal om Drina te leren schrijven en rekenen en madame Bourdin arriveerde twee keer per week voor dans en houding. Meneer Bernard Sale van de koninklijke kapel werkte aan Drina's muzikale en zangtalenten. Haar rijinstructeur zorgde ervoor dat ze een getalenteerde amazone werd, terwijl Richard Westall van de Koninklijke Academie haar aanzienlijke talent voor schilderen en tekenen stimuleerde. Daarnaast kreeg ze ook nog Franse les van *monsieur* Grandineau en Duits van de eerwaarde Henry Barez. Pas later zouden daar Latijn en Italiaans aan toegevoegd worden.

VICTORIA:
Ooit had ik uw bescherming nodig, mama, maar in plaats daarvan stond u toe dat sir John u tot zijn marionet maakte.

MISSCHIEN NOG WEL BELANGRIJKER tijdens die eerste jaren van haar opleiding was dat Drina leerde om altijd eerlijk, punctueel en spaarzaam te zijn en ervoor te zorgen dat ze genoeg frisse lucht en beweging kreeg. Elke dag was ze buiten in Kensington Gardens te vinden, weer of geen weer, soms op Dickey, haar favoriete witte ezel, die ze van de hertog van York gekregen had. Dickey, zijn kop versierd met blauwe linten, werd gemend door een oude soldaat die nog samen met haar vader gediend had. En altijd als de kleine prinses naar buiten stapte, vaak hand in hand met Feodora, was ze vriendelijk tegen iedereen die ze tegenkwam en wenste ze hen glimlachend 'goedemorgen'.

Als elfjarige leek ze bijzonder pienter en welgemanierd voor haar leeftijd. 'Een erg gevoelig kind,' vond de eerwaarde Davys. Ze was impulsief en gul – maar kon ook eigenwijs zijn en één keer was ze, zoals in de zogeheten *Gedragsboeken* stond, waarin elke misdraging genoteerd werd, zelfs 'heel, heel, heel vreselijk stout' geweest.

Koningin Victoria legde later uit dat ze 'van nature erg temperamentvol was, maar na afloop altijd vol berouw'. Ze mag dan misschien koppig en impulsief geweest zijn, een deugdzame eigenschap die ze al heel jong bezat was haar oprechtheid, weerspiegeld in de vaak verrassend vrijpostige opmerkingen in haar dagboeken.

Feestdagen en vakanties werden in het beschermde leven van de jonge Drina tussen 1820-1830 doorgebracht in Ramsgate en andere badplaatsen, waar ze op haar ezel over het strand reed en soms zelfs met adellijke kinderen mocht spelen. Los hiervan waren het de bezoekjes aan de broer van haar moeder, oom Leopold, waarnaar ze het meest uitkeek.

'Claremont blijft een lichtpunt in mijn verder nogal melancholische jeugd,' schreef de koningin later, en zij en Feodora logeerden vaak weken- of maandenlang in zijn palladiaanse villa vlak bij Esher in Surrey, waar ze heerlijk in de uitgestrekte natuur en tuinen eromheen konden spelen.

Rechts: Prinses Victoria in Kensington Gardens

In een brief, twintig jaar later, herinnert Feodora zich hoe gek de twee zusjes waren op Claremont, in vergelijking met Kensington Palace – waarnaar ze alle twee altijd weer met een bezwaard gemoed terugkeerden:

Wanneer ik terugkijk op die jaren, van mijn veertiende tot mijn twintigste, die toch tot de gelukkigste van mijn leven hadden moeten behoren, voel ik onbewust medelijden met mezelf. Niet hebben kunnen genieten van de geneugten van de jeugd is niet erg, maar verstoken te zijn geweest van elke vorm van omgang met anderen en welke vrolijke gedachte dan ook, in dat akelige bestaan van ons, was heel moeilijk. Ik was enkel gelukkig wanneer we samen met Lehzen uit rijden gingen; dan kon ik tenminste praten en eruitzien op de manier die ik prettig vond.

-Brief van Feodora, 1843

VICTORIA:
Tijdens mijn jeugd werd ik continu door mama en sir John in de gaten gehouden. Vrienden, gezelschap of een eigen leven waren niet toegestaan.

Tijdens deze moeilijke periode bleef Drina's Duitse grootmoeder, Augusta van Saksen-Coburg-Saalfeld, haar kleine Maiblümchen van een afstand koesteren en adoreren. In 1825 kwam de toen achtenzestigjarige twee maanden op bezoek. Het was een moment waarnaar de kleine Drina enorm uitgekeken had:

Ik weet nog de opwinding en spanning die ik voelde toen ik de grote trap af liep om haar te begroeten op het moment dat ze uit de koets stapte en hoorde hoe ze 'ein schönes Kind' – 'een knap kind' – zei, nadat ze in haar kamer plaatsgenomen had en haar jonge kleindochter, die ze in haar brieven 'Maiblümchen' noemde, met haar heldere, lichtblauwe ogen aankeek.

Victoria's herinneringen aan haar vroege kinderjaren, opgeschreven in 1872

Links: Prinses Augusta, Victoria's grootmoeder

Ze liep behoorlijk gebogen en met een stok, en hield vaak haar handen tegen haar rug gedrukt. Ze maakte lange ritten in een open rijtuig en ik moest vaak met haar mee, iets wat ik, moet ik tot mijn spijt bekennen, niet zo leuk vond. Zoals de meeste kinderen van mijn leeftijd was ik liever aan het rondrennen. Hoewel ze zeer vriendelijk was tegen kinderen, kon ze stoute kinderen niet uitstaan en ik zal nooit vergeten hoe zij - vanuit de kamer ernaast, waarin ze met mama gezeten had - mijn kamer binnenkwam, nadat ik tijdens mijn lessen gehuild had en stout geweest was, en mij er flink van langs gaf, wat een bijzonder heilzame werking op me had.

Victoria's herinneringen aan haar vroege kinderjaren, opgeschreven in 1872

AUGUSTA WAS GEK OP haar geliefde kleindochter. Ze dweepte met haar in haar brieven naar huis en beweerde dat ze 'ongelooflijk wijs was voor haar leeftijd'. En dat ze nog nooit 'zo'n levendig en sociaal kind' gezien had.

> *Kleine Muis is een mooi kind: ze is sprekend haar vader, dezelfde grote blauwe ogen, dezelfde olijke uitdrukking wanneer ze lacht. Ze is flink en kerngezond en vriendelijk en aanhalig – gedienstig, zou ik bijna willen zeggen – oplettend, rustig en bekoorlijk in alles wat ze doet. [...] Wanneer ik iets verkeerd zeg, zegt ze heel zacht: 'Grootmoeder moet zeggen...', waarna ze me vertelt hoe het gezegd moet worden. Zo'n beleefd en attent kind heb ik nog niet eerder meegemaakt.*
>
> ~BRIEF VAN AUGUSTA, 6 AUGUSTUS 1825

Maar Augusta was wel bang dat Drina 'een beetje te veel eet en bijna altijd ook wat te snel', en merkte op dat ze nogal klein was voor haar leeftijd. Hoewel ze al wel andere, veel belangrijkere kwaliteiten liet zien. Grootmoeder Augusta was een van de eersten die een blijvende eigenschap van de toekomstige koningin zag: 'Wanneer ze een ruimte binnenkomt en je, volgens Engels gebruik, met een knikje van haar hoofd begroet, voel je haar verbluffende grootsheid.'

In februari 1828 verliet Feodora, achttien inmiddels, tot Victoria's grote verdriet Engeland om te trouwen met Ernst, prins van Hohenlohe-Langenburg – een man die veel ouder was dan zijzelf en die ze amper kende. Vanuit haar nieuwe thuis schreef ze ellenlange brieven aan haar halfzusje in Engeland, vol liefde en verdriet over hun scheiding.

Als ik vleugels had en kon vliegen als een vogel, dan zou ik naar je raam vliegen, zoals het kleine roodborstje vandaag, en je alle goeds wensen voor je verjaardag en je zeggen hoeveel ik van je houd, lieve zuster, en hoe vaak ik aan je denk en ernaar verlang om je te zien. Ik denk dat als ik weer bij je was, ik je niet zo snel weer zou kunnen verlaten. Dan zou ik bij je willen blijven, en wat zou die arme Ernst ervan vinden als ik hem zo lang alleen zou laten? Misschien zou hij proberen achter me aan te vliegen, maar ik vrees dat hij niet ver zou komen; hij is te groot en zwaar om te vliegen. Dus je begrijpt dat er weinig anders voor me op zit dan je te schrijven en je via deze weg alle geluk en plezier te wensen en dat er nog maar heel, heel veel jaren mogen volgen. Ik hoop dat je een hele fijne verjaardag hebt. O, wat zou ik er die dag graag bij zijn, lieve Victoire!

Brief van Feodora aan Victoria, mei 1829

Georgius D.G. Mag: Britanniæ Franciæ et Hiberniæ Rex Fidei Defensor
Brun: et Lunen: Dux S.R.I. Arch: Thesau: et Princeps Elector &c. Inauguratus XX die Octobris 1714
neller S.R.Imp: et Mag: Brit: Baronet: pinx.
Ab Originali I.Smith Fec: et ex: 1715

DE HANNOVERIANEN

'Ik ben veel trotser op mijn Stuart voorouders dan op die van Hannover'

···· VICTORIA ····

DOOR KONINGIN TE WORDEN, maakte Victoria een eind aan een lange lijn van Hannoveriaanse koningen vanaf 1714, toen George I, keurvorst van Hannover, de Britse troon besteeg nadat koningin Anne kinderloos gestorven was. Een jonge, onbevlekte koningin op de troon na zo'n lange lijn van notoire mannen was een verfrissende verandering: de Hannoverianen hadden zichzelf niet bepaald geliefd gemaakt bij het Britse volk. Over het algemeen werden de vier Georges en de William die Victoria voorgingen, samen met hun maîtresses en grote aantallen buitenechtelijke kinderen, gezien als schurken, boeven en dwazen uit een onbeduidend, provinciaal Duits koninkrijkje. Het volk had er niets voor gevoeld om het enorme gevolg aan ondergeschikten (waaronder twee maîtresses) te onderhouden dat met George I mee naar Engeland gekomen was.

Zijn zoon, George II, haalde zich de diepe, permanente haat van de Schotten op de hals, toen hij opdracht gaf tot de brute onderdrukking van de Jakobitische Opstand (1745-46).

George III's onstuimige, zestigjarige heerschappij werd getekend door schandalen, politieke tegenslagen en krankzinnigheid. George, thuis een toegewijd echtgenoot en vader, die samen met zijn lankmoedige vrouw Caroline vijftien kinderen op de wereld zette, verspeelde in 1783 de Amerikaanse koloniën en ruziede eindeloos met zijn opvolger, die in 1811 de troon besteeg, na Georges laatste, meest desastreuze aanval van krankzinnigheid.

George IV, een man met een bijzonder verfijnde smaak en beschermheer van de kunsten, was ondanks dat een luie verkwister, die zijn vrouw Caroline van Brunswijk verliet en een fortuin uitgaf aan zijn exuberante kroning. In weerwil van de aanhoudende roddels over het 'slechte bloed' van de Hannoverianen mocht Drina haar 'Oom Koning' wel, zoals ze George IV tijdens een bezoek aan Windsor (1826) noemde. Ze herinnerde zich hem als 'dik en jichtig, maar met een buitengewone waardigheid en charme.' 'Geef me je kleine pootje,' zei hij, terwijl hij haar in zijn rijtuig tilde – iets wat de jonge prinses erg grappig vond.

Haar oom William IV daarentegen, de laatste Hannoveriaanse koning, vond ze 'heel eigenaardig en excentriek', hoewel ze zijn vriendelijkheid en vastberadenheid om haar goed voor te bereiden op de lastige taken van een monarch wel waardeerde. En hoewel de regering van de nieuwe koningin behoorlijk zou afwijken van het pad dat haar koninklijke voorvaderen gegaan waren, had Victoria één duidelijke overeenkomst: de licht uitpuilende ogen,

Links: George I, eerste Hannoveriaanse koning

het ronde, bijna mollige gezicht en de wijkende kin gingen allemaal over op haar kinderen – onmiskenbare bewijzen van Victoria's Hannoveriaanse afstammingslijn.

NAARMATE DE JAREN TWINTIG van de negentiende eeuw vorderden, werd Drina's eigen gang naar de troon steeds onvermijdelijker. Twee ooms overleden: de hertog van York (1827) en koning George IV (1830), en hierdoor werd Drina de vermoedelijke troonopvolger, na weer een oom, de nieuwe koning William IV. Het zorgde bij grootmoeder Augusta voor de volgende overpeinzing:

> *God zegene het oude Engeland, waar mijn geliefde kinderen wonen, en waar mijn lieve Maiblümchen op een dag wellicht zal regeren! Moge God haar nog heel wat jaren behoeden voor het gewicht van een kroon op haar jonge hoofd, zodat dit intelligente, slimme kind de kans krijgt om een jonge vrouw te worden voordat ze belast wordt met deze gevaarlijke eer!*
>
> – BRIEF VAN AUGUSTA AAN DE HERTOGIN VAN KENT, MEI 1830

Tijdens de zeven daaropvolgende jaren bewees kleine Drina meer dan opgewassen te zijn tegen de uitdaging die op haar wachtte.

VAN KENSINGTON PALACE NAAR BUCKINGHAM PALACE

My dear Mamma.

I congratulate you
on dear Grandmamma's
birthday; I hope you will
have a very happy day.

Your very affectionate
Victoria.

Jan: 19th 1828.

CORRESPONDANCE

'Ze vertoont groot talent in alles wat ze onderneemt'

···· HERTOGIN VAN KENT ····

TOEN PRINSES VICTORIA ELF WAS, inmiddels een heel wat vlijtiger en oplettender leerling, schijnt ze eindelijk ontdekt te hebben dat ze koningin zou worden. Bladerend door een almanak van het hof met haar gouvernante Lehzen, stuitte ze op een genealogische tabel van de Britse troonopvolging. In een brief aan Victoria, jaren later, herinnert Lehzen zich dat de prinses opmerkte: 'Dit heb ik nog nooit eerder gezien.'

> *'Dat vond men ook niet nodig, prinses,' antwoordde ik. – 'Ik snap het, dan sta ik dus dichter bij de troon dan ik dacht.' – 'Dat klopt, mevrouw,' zei ik. – Na een poosje zei de prinses: 'Heel wat kinderen zouden hierover opscheppen, maar zij beseffen niet hoe moeilijk het is; ondanks alle pracht en praal komt er een hoop verantwoordelijkheid bij kijken!' Terwijl ze sprak had de prinses de wijsvinger van haar rechterhand geheven. 'Ik zal mijn best doen!' zei ze, terwijl ze mij haar handje gaf.*
>
> –BRIEF VAN LEHZEN AAN VICTORIA, 2 DECEMBER 1867

Begin jaren dertig van de negentiende eeuw was Victoria bijzonder hoog opgeleid voor haar leeftijd; terdege opgeleid voor de troon die haar nu hoogstwaarschijnlijk wachtte. Nadat ze ontdekt had dat ze koningin zou worden, schijnt ze tegen Lehzen gezegd te hebben: 'Nu snap ik waarom ik altijd zo hard moest leren van u, zelfs Latijn.' Ze was inderdaad erg goed in Latijn – las zelfs Vergilius en Horatius – en sprak haar talen vloeiend.

Maar een van Victoria's mooiste ervaringen in het klaslokaal vond ongetwijfeld plaats in 1835, toen de Iers-Italiaanse bas-bariton Luigi Lablache werd aangesteld om haar zanglessen te geven. Met als gevolg een levenslange liefde voor de Italiaanse opera.

Nog altijd was ze behoorlijk klein voor haar leeftijd – iets waar ze zich zorgen om maakte – en de hertog van Wellington vond haar Duitse accent nog steeds verontrustend. Sommige van Victoria's 'kromme zinnen' deden, zo zei hij, 'bijzonder onaangenaam aan, uit de mond van een Engelse prinses'. Toen Victoria dit hoorde, barstte ze in tranen uit. En dan vreesde oom Leopold ook nog eens dat haar liefde voor eten ervoor zou zorgen dat ze aankwam. Maar in een brief vanaf de kust in 1834 stelde Victoria hem gerust: 'Ik wou dat u hier kon komen, om heel wat redenen, maar ook zodat u zou kunnen zien hoe terughoudend ik ben met eten, het zou u verbazen.'

Ik mag Lablache heel graag, hij is zo'n aardige, vriendelijke en opgewekte man, en een heel geduldige en goede leraar, en hij is erg grappig [...] Ik genoot enorm van mijn les; ik wilde alleen dat ik er elke dag één had, in plaats van één elke week.

Victoria's dagboek, 3 mei 1836

TER VOORBEREIDING OP de troonsbestijging van zijn nichtje gaf koning William opdracht aan een Engelse aristocrate, de hertogin van Northumberland, om samen met Lehzen aan Victoria lessen in hof- en ceremoniële etiquette te geven en haar te trainen in gedrag en sociale vaardigheden. Maar ondanks deze maatregel trok Victoria steeds meer naar haar gouvernante toe.

Lehzen bleef haar beste maatje, haar goede vriendin en bondgenote, zozeer zelfs dat Kensington Palace verdeeld raakte in twee kampen, met de hertogin en sir John Conroy in het ene en Victoria en Lehzen in het andere kamp. Hoewel sir John Conroys dochter Victoire af en toe langskwam om met haar te spelen, bracht Victoria het grootste deel van haar tijd alleen door met haar poppen: houten poppen, papieren poppen, poppen van leer en dure wassen poppen uit Berlijn – in totaal 132 stuks, allemaal zorgvuldig opgeborgen en in haar kinderlijke handschrift geregistreerd in een klein notitieboekje. Bij elke pop stond de naam, een beschrijving van de persoon die hij moest uitbeelden – indien gebaseerd op een echt iemand – en wie de kleertjes gemaakt had (zijzelf of barones Lehzen).

Victoria's favorieten waren de eenvoudige houten, beweegbare popjes van tien tot twintig centimeter lengte met 'kleine, scherpe neusjes en felrode wangetjes' die in haar poppenhuis pasten. Hun kleertjes kopieerde ze van echte acteurs, operazangers en balletdansers die ze bewonderde, waarbij ze 'met feeënsteekjes' piepkleine ruches en 'minizakjes op schortjes vastzette en er roodzijden initialen op borduurde.' De poppen werden op een lange plank gezet, zodat Victoria ze naar believen kon rangschikken en er ontvangsten en salonscènes mee kon oefenen.

Toen Victoria veertien was borg ze al haar poppen op, maar bewaarde ze wel, veilig in een doos, zelfs nog nadat ze de troon bestegen had. In een verslag van een van haar eerste gesprekken met haar latere favoriet lord Melbourne beschreef ze hoe ze, zelfs toen nog, 'spraken over mijn vroegere liefde voor poppen'.

CONROY:
Nog altijd met poppen aan het spelen, majesteit?

HERTOGIN:
Dergelijke kinderachtige spullen moeten nu opgeborgen worden, Drina. Ik ben bang dat je zorgeloze dagen voorbij zijn.

DANIELA HOLTZ
SPEELT BARONES LEHZEN:

'Lehzen was eigenlijk Victoria's enige vertrouwelinge. Ze heeft haar nooit verraden en nooit machtsspelletjes met haar gespeeld. Ze snapte wat monarchie en macht inhielden en toen Victoria koningin was hield ze, om haar te beschermen, toezicht op de mensen die bij haar kwamen.'

BARONES LOUISE LEHZEN

- VICTORIA'S GOUVERNANTE -

'Die lieve Lehzen, die zoveel voor me gedaan heeft'

···· VICTORIA ····

Louise Lehzen was, samen met oom Leopold, een van de sturende krachten tijdens Victoria's jonge jaren. Lehzen, een bescheiden vrouw met een grote neus en een van de negen kinderen van een lutherse predikant, had een onopvallend leven geleid tot haar vijfendertigste, toen ze aangesteld werd als gouvernante voor Feodora, dochter van de hertogin van Kent, en samen met de familie naar Engeland verhuisde. Vanaf 1824, het moment dat ze in dienst kwam van Victoria, klom ze van plaatsvervangend gouvernante naar vriendin en adviseur en vervolgens naar hofdame en in feite privésecretaris in die belangrijke eerste jaren.

In 1827 beloonde George IV haar met de eretitel van Hannoveriaanse barones – een titel die Lehzen nogal naar het hoofd steeg. Haar arrogante houding vanaf dat moment tergde heel wat leden van het huishouden, die niets moesten hebben van de tirannie van die omhooggevallen Lehzen en ze maakten wrede grappen over haar. Onder hen was lady Flora Hastings, die de spot dreef met de excentrieke gewoonte van de barones om karwijzaad – speciaal vanuit Hannover opgestuurd – over al haar eten te strooien.

Lehzen was bijzonder plichtsgetrouw, op het extreme af, in haar taken als gouvernante. Maar hoewel ze af en toe overdreven betuttelend was, kon ze ook erg goed omgaan met Victoria's legendarische driftbuien. En belangrijker nog, ze hield het kleine meisje gezelschap en vermaakte haar tussen de lessen door, waarbij hun favoriete bezigheid samen het aan- en uitkleden van Victoria's vele poppen was.

Tijdens haar jonge jaren was er voor Victoria weinig afleiding buiten het beklemmende leven op Kensington Palace, behalve af en toe een zomers verblijf aan zee in Ramsgate en in 1830 een lange vakantie in het kuuroord Malvern in Worcestershire. Onderweg kwamen ze door de Midlands, waar de straten vol stonden met mensen die haar en de hertogin wilden begroeten. Ze maakten een korte stop om bij een glasblazer en een muntslager te kijken en bezochten een porseleinfabriek in Worcester, maar verder werd Victoria niet blootgesteld aan de realiteit van het industriële hart van Groot-Brittannië. In 1833 volgde nog een bezoekje aan Norris Castle op het eiland Wight en datzelfde jaar, op haar veertiende verjaardag, nam Victoria deel aan haar eerste koninklijke bal:

> *Om half 8 vertrokken we met Charles, de hertogin van Northumberland, lady Catherine Jenkinson, Lehzen, sir George Anson en sir John naar een bal voor de jeugd, dat de koning en koningin ter ere van mijn verjaardag hielden op St. James's. We gingen eerst naar een zijkamertje en kort daarna werden de deuren geopend en leidde de koning mij de balzaal in. Madame Bourdin was de dansmeesteres. Victoire was er ook, evenals een heleboel andere kinderen die ik kende. Al snel begonnen de dansen. Eerst danste ik met mijn neef George Cambridge, daarna met prins George Lieven, toen met lord Brook [...] Na afloop was er een diner. Het was half 12. De koning leidde mij weer en ik nam plaats tussen de koning en de koningin in. We verlieten het diner al snel. Ik voelde me een beetje dronken. Ik danste nog een quadrille met lord Paget. Alle acht quadrilles heb ik gedanst. Om half 1 waren we thuis. Ik had het erg naar mijn zin gehad en viel al snel in slaap.*
>
> –Victoria's dagboek, 24 mei 1833

Victoria's zanglessen, bezoekjes aan de opera en het ballet, en de lange, stevige ritten te paard, het liefst in volle galop, droegen allemaal bij aan de afwisseling waarnaar ze zo verlangde. Maar niets overtrof het bezoek van Feodora in 1834 en van oom Leopold en haar nieuwe tante Louisa in 1835. 'Wat een geluk was het om mezelf in de armen van mijn allerliefste oom te storten, die altijd als een vader voor me geweest is en van wie ik zoveel houd!' schreef ze, waarbij ze ook opmerkte hoe ze genoot van zijn gezelschap bij het diner, zo'n schril contrast met de 'opsluiting' in Kensington: 'Ik verlang zo wanhopig naar wat vrolijkheid,' schreef ze klaaglijk.

MELBOURNE:
Lady Portman kende uw vader, mevrouw.

LADY PORTMAN:
Zo'n knappe man, mevrouw. En een heel goede danser.

VICTORIA:
O ja? Dat wist ik niet. Daarom houd ik waarschijnlijk zoveel van dansen.

Ondertussen begon het Britse volk steeds meer interesse te tonen in de jonge koningin in spe. Victoria, zo zeiden ze, was een soort wonderkind. 'Haar concentratie lijkt buitengewoon voor iemand van haar leeftijd en ze heeft een ijzersterk geheugen, iets wat frenologen ook zouden kunnen afleiden afleiden uit haar opvallende ogen,' merkte iemand op. En deze getalenteerde jonge geest kreeg niet alleen het beste onderwijs, dankzij Lehzens strenge hand was Victoria's opvliegende temperament ook nog eens beteugeld; de gouvernante stond namelijk niet toe dat er 'werd toegegeven aan een slecht humeur en drukte elke poging tot verzet of tegenspraak, iets waar elk kind wel toe geneigd is als het de kans krijgt, de kop in'.

Ondertussen boog het parlement zich over de vraag wat er moest gebeuren wanneer de koning zou overlijden voordat Victoria meerderjarig was. Besloten werd dat in dat geval haar moeder tot Victoria's achttiende verjaardag regentes zou worden. De hertogin zou 10.000 pond extra per jaar krijgen, bestemd voor Victoria's hofhouding en opleiding. Hoewel haar belachelijke verzoek om voortaan 'douairière prinses van Wales' genoemd te worden afgewezen werd, toonde ze zich toch redelijk dankbaar: 'Dit is de eerste echt mooie dag sinds het verlies van de hertog van Kent,' zei ze. En ze was trots op de vorderingen van haar dochter:

CONROY:
Dacht je nou echt dat je zo vanuit het klaslokaal de troon kon bestijgen, zonder adviseurs?

> *Ze vertoont groot talent in alles wat ze onderneemt [...] Het lieve kind houdt bijzonder veel van muziek, ze is al redelijk vaardig in het bespelen van de piano en ze heeft een geweldige stem.*
>
> –Hertogin van Kent

Nu Victoria definitief de troonopvolgster was, arrangeerde de hertogin van Kent, die graag zo veel mogelijk aanzien voor haar dochter wilde, een reeks 'koninklijke tournees' (zoals koning William ze nogal sarcastisch noemde) om de prinses bij haar bewonderende en nieuwsgierige volk te introduceren. De uitstapjes waren ook bedoeld om iets soortgelijks te bewerkstelligen voor de hertogin en Conroy, die niets liever wilden dan tot regenten te worden aangewezen tot Victoria's 21e verjaardag. Een regentschap zou hun beiden namelijk aanzienlijke rijkdom, macht en status opleveren, iets waarop beiden aasden.

Toen Victoria dertien werd, besloot Leopold dat het tijd was om haar voor te bereiden op haar toekomstige, belangrijke rol. Ze was niet langer een *prinsesje,* schreef hij:

> *Je zult merken, mijn lieve meisje, dat je je steeds meer aan serieuze zaken zult moeten wijden. De Voorzienigheid heeft jou een belangrijke opdracht gegeven; en je zult er dan ook alles aan moeten doen om die goed uit te voeren. Een goed hart en een fatsoenlijk en rechtschapen karakter behoren tot de onmisbare kwalificaties voor deze functie. Je oom zal er altijd voor je zijn als de trouwe vriend die hij al vanaf je geboorte voor je geweest is, en mocht je ooit behoefte hebben aan steun of advies, dan kun je altijd bij hem terecht.*
>
> –Brief van Leopold aan Victoria, 22 mei 1832

In 1834, na weer een rondreis, eerst door Kent, langs de statige landhuizen van Knole en Penshurst, en vervolgens noordwaarts voor een bezoek aan York, Belvoir Castle en het bijwonen van de races in Dorcaster, schreef Victoria een warme brief aan oom Leopold, die in 1832 eindelijk hertrouwd was:

Mijn allerliefste oom – sta mij toe dat ik een paar woorden aan u schrijf, om te zeggen hoe dankbaar ik ben voor de ontzettend vriendelijke brief die u mij schreef. Het maakte me echter wel verdrietig om te bedenken dat al onze hoop om u dit jaar nog een keer te zien vergeefs was. Ik had u zo graag weer eens gezien, mijn geliefde oom, en kennisgemaakt met mijn lieve tante Louisa. Ik vond het fijn om te horen dat de zeelucht en het baden mijn lieve tante goed gedaan hebben.
Wij hebben gisteren een leuk uitstapje naar Hever Castle gemaakt, waar Anne Boleyn ooit woonde voordat ze onthoofd werd, zoals u misschien nog wel weet. We gingen per koets heen en op de paarden terug. Het was een prachtige dag. We ontvangen ook hele goede berichten van die lieve Feodora, die op dit moment in Langenburg zit. Heel veel liefs voor mijn allerliefste oom, van zijn toegenegen en plichtsgetrouwe nicht,
Victoria

Brief van Victoria aan Leopold, 14 september 1834

PAUL RHYS SPEELT SIR JOHN CONROY

'Hij was een selfmade man, zeer ambitieus. Om op zo'n machtige positie te komen in die tijd, was voor iemand van zijn afkomst zeer opmerkelijk en zegt heel veel over de intelligentie van de man.

Hij was enorm trouw aan de hertogin, op wie constant neergekeken werd, en wilde dat zij meer macht en een hogere titel zou krijgen, waardoor hij alles voor haar deed. Hij was een vechter, een echte strijder, en wanneer hij dat op een ander gebied gedaan had, dan had het misschien iets waardevollers opgeleverd.'

SIR JOHN CONROY

- HOOFD VAN DE HOFHOUDING VAN DE HERTOGIN -

'Het monster en de duivel in eigen persoon'

···· VICTORIA ····

SIR JOHN CONROY, GEBOREN IN 1786, zou de jonge jaren van prinses Victoria domineren. Hij was een knappe Ier, die in 1818 was aangesteld als stalmeester van de hertog van Kent. Na diens dood had hij de hertogin zo voor zich weten in te nemen dat zij hem al haar zaken toevertrouwde. Koning William verafschuwde zijn schaamteloze ambities en noemde hem spottend 'King John', omdat Conroy steeds rondbazuinde dat hij zelf een koninklijke stamboom zou hebben, terwijl dit nooit is bewezen. Zijn hele leven deed hij zijn best om op te klimmen binnen de Britse aristocratie: een promotie tot ridder-commandeur van de Hannoveriaanse Orde door George IV had die ambities niet weten te temperen. Door zijn macht over de hertogin kon hij enorm veel invloed uitoefenen op de totstandkoming van het Kensingtonsysteem, waarmee prinses Victoria weggehouden werd bij alle onwenselijke invloeden van buitenaf. De macht steeg hem naar het hoofd en hij paradeerde door Kensington Palace alsof het zijn eigen domein was.

Conroy gedroeg zich vaak aanmatigend en soms zelfs ronduit en alarmerend verleidelijk tegenover de hertogin. Het overschreed alle normen van fatsoen en maakte de tongen behoorlijk los – op een gegeven moment werd zelfs beweerd dat híj Victoria's vader zou zijn in plaats van de hertog. Hoewel er niets is wat deze laatste bewering staaft, maakte Conroy zeker misbruik van de zwakte en kwetsbaarheid van de hertogin en had hij een schadelijke invloed op haar, iets wat de jonge Victoria vreselijk vond.

Op 31 juli 1832, aan de vooravond van een reis naar Wales die drie maanden zou duren, bekeek Victoria de maagdelijk witte bladzijdes van het allereerste en spiksplinternieuwe dagboek dat ze van haar moeder gekregen had. De volgende dag noteerde ze nauwkeurig dat 'we om 6 over 7 van K.P. vertrokken zijn', waarna ze de exacte tijden en locaties bijhield waar ze onderweg van paarden wisselden: Barnet, St. Alban's, Dunstable, Stony Stratford. De wegen waren stoffig en het begon te regenen, maar toch genoot ze van elke minuut van dit nieuwe avontuur en van het feit dat de koets 'enorm snel' reed.

Tijdens de hele reis noteerde Victoria nauwgezet alle details, de bezoekjes aan de kastelen van Powis en Beaumaris en de terugreis via Anglesey en de Midlands. Wolverhampton, schreef ze, was 'een grote, vieze stad', waar ze desalniettemin 'enorm vriendelijk en vrolijk' ontvangen werd. Een pauze in de regen in Birmingham om van paarden te wisselen bood haar een eerste blik op de beroerde omstandigheden in de industriegebieden:

We reden net door een plaats waar alle kolenmijnen zich bevinden en bijna overal kon je in de verte de gloed van het vuur in de machines zien. De mannen, vrouwen, kinderen, het land en de huizen zijn allemaal zwart. Ik kan onmogelijk beschrijven hoe het er allemaal uitziet. De omgeving is mistroostig; overal ligt kool en het gras is verschroeid en zwart [...] Overal zie je rokende en brandende hopen kool, afgewisseld met armoedige hutjes en karren en kleine kinderen in lompen.

–Victoria's dagboek, 2 augustus 1832

Maar al snel was ze weer helemaal onder de indruk van de meer aantrekkelijke pracht en praal van de grote landhuizen: Chatsworth – 'Ik zou dagen nodig hebben om het geheel tot in detail te beschrijven' –, Hardwick Hall, Shugborough Hall, Alton Towers en Wytham Abbey.

In 1835 begonnen de vermoeiende jaarlijkse reizen duidelijk hun tol te eisen van Victoria en stortte ze lichamelijk bijna in. Urenlang door elkaar geschud worden op al die landweggetjes en wegen vol hobbels en kuilen had ervoor gezorgd dat ze geplaagd werd door hoofd- en rugpijn. Ook leed ze aan wagenziekte en in september, na weer een vermoeiende tocht – door de Midlands, Noord-Engeland en Norfolk – was ze zo uitgeput dat ze in Ramsgate een ernstige vorm van tyfus opliep en vijf weken in bed moest blijven. Maar dankzij een toegewijde Lehzen, die de ernst van Victoria's toestand inzag en erop stond dat er artsen bij geroepen werden, kwam ze er weer bovenop.

HERTOGIN VAN KENT:

Als klein meisje liet ze mij elke avond in haar dagboek lezen, waardoor ik wist wat ze dacht en voelde.

Het was 1837 en Victoria was inmiddels behoorlijk volwassen. De afgelopen twee jaar had ze er een uitvoerige correspondentie met haar oom Leopold op na gehouden, waarin ze zelfbewust sprak over de complexe constitutionele geschiedenis, de werking van het Britse parlement en de wereldpolitiek (maar natuurlijk ook niet vies was van een smeuïge roddel over alle familieruzies en -intriges binnen de koninklijke families van Europa). Haar brieven aan hem laten een vroegwijs zelfbewustzijn zien en een levendige interesse in de werking van het parlement:

U kunt erop rekenen dat ik mijn voordeel zal doen met uw uitstekende adviezen wat betreft de politiek. Zeg, lieve oom, heeft u lord Palmerstons toespraak over de gebeurtenissen in Spanje gelezen, die hij op de avond van het conflict over sir Henry Hardinges motie hield? Daar wordt met bewondering over gesproken. Gisteravond kwam in het Lagerhuis de kwestie over de Ierse tienden weer ter sprake en ik ben nu al benieuwd naar de ochtendkranten, om te lezen wat er besloten is.

~Brief van Victoria aan Leopold, 2 mei 1837

Op 24 mei 1837 vierde Victoria haar achttiende verjaardag en werd die dag uitgeroepen tot Britse nationale feestdag. Koning William stuurde haar als verjaardagsgeschenk een prachtige nieuwe vleugel, Kensington Palace was versierd met vlaggen en de prinses werd gewekt door een koor van stemmen die haar vanuit de tuin toezongen. Het belang van die dag ontging haar zeker niet. In haar dagboek schrijft ze:

Wat oud! En toch nog zo ver verwijderd van wat ik moet zijn. Vanaf vandaag neem ik mij stellig voor om met frisse ijver te studeren, om mij niet af te laten leiden van waar ik mee bezig ben en om ernaar te streven om elke dag minder onbenullig en meer geschikt te worden voor dat wat ik, indien de hemel dat wil, op een dag zal worden.

~Victoria's dagboek, 24 mei 1837

De binnenplaats en de straten stonden volgepakt toen we naar het bal reden, de opwinding van het volk om mijn onbenullige persoon te zien was groot en ik moet zeggen dat me dat toch wel raakte en dat ik, zoals altijd, trots ben op mijn land en op de Engelse natie.

Victoria's dagboek, 24 mei 1837

26 mei 1837

...De vele blijken van genegenheid en vriendelijkheid van alle kanten op mijn verjaardag deden mij bijzonder goed. De parken en straten stonden de hele dag vol mensen, alsof er iets heel bijzonders gebeurd was. Gisteren ontving ik tweeëntwintig gelukwensen, allemaal even vriendelijk en loyaal; eentje was bijzonder goed geschreven en was afkomstig van meneer Attwood van de Politieke Unie in Birmingham.

Brief van Victoria aan Leopold, 26 mei 1837

Ik vertrouw erop dat God mij nog negen maanden in leven laat. Omdat ik dan met een gerust hart de koninklijke macht kan overdragen aan het persoonlijke gezag van mijn troonopvolgster, deze jongedame hier [Victoria], in plaats van aan iemand hier vlak bij mij [de hertogin], die omringd wordt door slechte adviseurs en niet in staat zou zijn om fatsoenlijk om te gaan met de situatie waarin zij terecht zou komen.

Openbare toespraak van koning William tijdens een staatsbanket, augustus 1836

17 juni 1837

Mijn lieve kind,

...Vandaag zal ik ingaan op wat er gaat gebeuren, mocht de koning overlijden. Zodra jij daar officieel bericht van krijgt, geef je lord Melbourne opdracht om de huidige regering aan te stellen als jouw ministers. Dit zul je doen op de eerlijke en vriendelijke manier die jou zo eigen is, waarbij je enkele aardige woorden zult zeggen. De huidige ministers zullen jou persoonlijk dienen, in alle oprechtheid en, daarop vertrouw ik, met affectie. Zowel voor hen als voor de liberalen in het algemeen ben jij de enige soeverein die hun 'des chances d'existence et de durée' [bestaansrecht en continuïteit] kan bieden. Met uitzondering van de hertog van Sussex is er niemand binnen de familie die hun meer te bieden heeft dan wat ze van jou mogen verwachten, en jouw directe opvolger, die met de snor [de hertog van Cumberland], is afschrikwekkend genoeg om hen volledig toegewijd aan jou te laten zijn... De vervelende omstandigheden waaronder je tot nu toe geleefd hebt, hebben in ieder geval als voordeel dat jij weet hoe belangrijk discretie en prudentie zijn, twee eigenschappen waarvan iemand in jouw positie nooit genoeg kan hebben...

Brief van Leopold aan Victoria, 17 juni 1837

Die avond werd er een speciaal bal voor haar gehouden in St. James's Palace, waarbij de hertogin voor het eerst ondergeschikt was aan Victoria. Koning William was lang genoeg in leven gebleven om Victoria meerderjarig te zien worden en hoewel de hoop van Conroy en haar moeder op een regentschap nog niet vervlogen was, was die dat voor Victoria zeker wel.

Maar al snel sloeg de feestelijke stemming om: begin juni werd duidelijk dat de koning niet lang meer te leven had. Victoria schreef aan oom Leopold:

> *De toestand van de koning is, zo mag ik wel zeggen, hopeloos; misschien dat hij het nog een paar dagen volhoudt, maar uiteindelijk zal hij niet meer beter worden. [...] Die arme oude man! Ik heb met hem te doen; hij was altijd zo vriendelijk voor mij en het zou ondankbaar en gevoelloos van mij zijn, zou ik dat vergeten.*
> *Kalm en rustig wacht ik nu op dat wat zich kennelijk binnenkort zal voordoen. Ik ben er niet bang voor, hoewel ik er niet zeker van ben dat ik tegen alles opgewassen zal zijn; maar ik vertrouw erop dat mijn ijver, oprechtheid en moed mij zullen helpen om niet te falen.*
>
> – Brief van Victoria aan Leopold, 19 juni 1837

LEHZEN:
Drina, de koerier is hier. Met een zwarte rouwband.

William IV overleed in de vroege uren van 20 juni, boos omdat zijn jonge troonopvolgster zo resoluut was weggehouden van zijn hof – 'waar ze eigenlijk thuisgehoord had' – door haar moeder, maar opgelucht dat hij de troon voor Victoria had weten te redden van de 'kwaadaardige adviseurs' die haar omringden. Victoria beschrijft die belangrijke dag in haar dagboek:

> *Om zes uur werd ik gewekt door mama, die mij vertelde dat de aartsbisschop van Canterbury en lord Conyngham er waren en mij wilden spreken. Ik stond op en liep alleen naar mijn zitkamer (enkel in mijn kamerjas), waar ik hen aantrof. Lord Conyngham (de Lord Chamberlain, het hoofd van de hofhouding) berichtte mij dat mijn arme oom, de koning, om 12 minuten over 2 die ochtend gestorven was en dat ik dientengevolge nu koningin ben. Terwijl hij dit officiële nieuws aan mij overbracht, knielde hij en kuste mijn hand.*
>
> – Victoria's dagboek, 20 juni 1837

Rechts: William IV, na wiens dood Victoria koningin werd.

LATER DIE DAG ontmoette Victoria voor het eerst haar *Privy Council,* de adviesraad van de monarch – alleen. Toen haar ooms naar voren stapten om hun respect te betuigen, wist ze hen er 'met bewonderenswaardige gratie' van te weerhouden om voor haar te knielen. Met bevende stem aanvaardde ze de uitdaging die haar wachtte:

Deze vreselijke verantwoordelijkheid heeft mij zo plotseling overvallen en in zo'n vroeg stadium van mijn leven, dat ik mij volledig overweldigd zou moeten voelen door de last die nu op mijn schouders rust, ware het niet dat ik me gesteund voel door de hoop dat de Goddelijke Voorzienigheid, die mij hier ook toe geroepen heeft, mij de kracht zal geven dit ambt te vervullen, en dat ik in de puurheid van mijn streven en mijn inzet voor het welzijn van het volk die steun en middelen zal vinden die eigenlijk horen bij een meer volwassen leeftijd en bij meer ervaring.

–VICTORIA'S SPEECH VOOR DE PRIVY COUNCIL, 20 JUNI 1837

VICTORIA:
Ik wil al mijn ministers alleen spreken.

CONROY:
Dit is geen spel. In de toekomst zul je moeten worden begeleid door je moeder of mij.

HERTOGIN:
Ja, Drina, je bent nog maar een jong meisje, je hebt adviseurs nodig.

VICTORIA:
O, maak je geen zorgen, mama, ik ben niet helemaal alleen. Ik heb Dash.

Van de ene op de andere dag leek Groot-Brittannië, door de troonsbestijging van een jonge, onschuldige koningin na een eeuw van Hannoveriaanse mannen, compleet veranderd.

'Iedereen lijkt bevangen door trouw aan de jonge koningin,' schreef Sallie Stevenson, echtgenote van de Amerikaanse ambassadeur. 'Ze lijkt zowel de jonge als de oude hoofden op hol gebracht te hebben en het is wonderbaarlijk om te zien hoe al die serieuze en waardige regeringsleiders over haar praten als over iets wat niet alleen bewonderd, maar ook aanbeden dient te worden.'

Vanuit zijn huis in Saksen-Coburg stuurde Victoria's jonge neef Albert ook zijn felicitaties:

U bent nu koningin van het machtigste land van Europa; het geluk van miljoenen mensen ligt in uw handen. Moge de hemel u bijstaan en u sterken bij die verheven maar moeilijke taak.

–BRIEF VAN ALBERT AAN VICTORIA, 26 JUNI 1837

Ik heb die lieve kleine Dash na het diner voor de tweede keer aangekleed, in een scharlakenrood jasje en een blauw broekje.

VICTORIA'S DAGBOEK,
23 APRIL 1833

DASH

VICTORIA'S SPANIËL

'Kleine Dash is perfect'

···· VICTORIA ····

In januari 1833 deed sir John Conroy de hertogin van Kent een kleine, tricolour Cavalier King Charles Spaniel met de naam Dash cadeau. Hoewel het hondje aanvankelijk zeer gehecht leek aan haar moeder, wist Victoria het beestje al snel te confisqueren. Binnen een maand was algemeen geaccepteerd dat het háár hondje was, haar beste kameraadje, een vervanging van zowel de poppen als Lehzen.

'Die lieve kleine Dash is zo'n grappig, speels en aanhankelijk lief klein hondje. En hij is ook slim,' schreef ze in haar dagboek. Ze kleedde hem in een scharlakenrood jasje en blauw broekje en met kerst dat jaar gaf ze hem peperkoek en drie rubberen balletjes cadeau. Nadat ze koningin geworden was, vroeg Victoria zich bezorgd af of Dash wel zou kunnen aarden op Buckingham Palace, maar al snel noteerde ze in haar dagboek dat hij 'best gelukkig leek in de tuin'.

Zodra bekend werd dat de koningin een hond als huisdier had, werden ook andere honden als geschenk aangeboden. 'U zult er nog onder bedolven raken,' zei haar favoriete premier, lord Melbourne. En Victoria had later inderdaad een hele rits trouwe viervoeters: Waldman de teckel, Islay de terriër, Sharp de collie en natuurlijk Alberts geliefde hazewindhond Eos. Maar Dash was het eerste en favoriete hondje van de koningin.

Het was Albert die het nieuws van zijn dood aan een ontroostbare Victoria bracht: 'Ik was zo gek op dat arme kleine beestje en hij was zo aan mij gehecht.' Ze liet hem begraven in de heuvels rondom Windsor Castle, vlak bij haar zomerhuis, en schreef een ontroerend grafschrift:

> Hier rust Dash, de favoriete Spaniël van Hare Majesteit koningin Victoria, in wiens opdracht deze gedenksteen geplaatst is. Hij stierf op 20 december 1840, negen jaar oud. Zijn affectie was geheel onbaatzuchtig, zijn speelsheid nooit gemeen, zijn trouw zonder bedrog. Lezer, wilt u uw hele leven geliefd zijn en na uw dood gemist worden, neem dan een voorbeeld aan Dash.

VICTORIA'S EERSTE DAAD ALS KONINGIN was het bekrachtigen van veertig nieuwe wetten. Op persoonlijk vlak liet ze meteen die eerste dag al haar bed uit haar moeders slaapkamer halen. Ze gaf opdracht voor de verhuizing van haar huishouden naar Buckingham House – dat ze later omdoopte tot Palace, hoewel het nog maar half gemeubileerd was en er nog geen tapijten lagen. Werklui waren dag en nacht in de weer en zelfs de bronzen toegangshekken moesten nog geïnstalleerd worden. Ze zou Kensington Palace missen, schreef ze:

> *Hoewel ik me om verschillende redenen verheug om naar B.P. te verhuizen, spijt het me ook om voor altijd afscheid te moeten nemen (als onderkomen dan) van het huis, waarin ik geboren en getogen ben en waaraan ik zo gehecht ben!*
> *Hier heb ik mijn lieve zus zien trouwen, hier heb ik zo veel lieve familieleden ontmoet, hier heb ik plezierige bals en fantastische concerten bijgewoond, mijn huidige kamers boven zijn echt heel prettig, comfortabel en mooi… hier heb ik pijnlijke en onaangename dingen beleefd, dat is waar, maar toch ben ik op dit arme oude paleis gesteld.*
>
> –VICTORIA'S DAGBOEK, 13 JULI 1837

VICTORIA:
Ik begrijp alleen niet waarom dit een Huis genoemd wordt en geen Paleis.

MELBOURNE:
U kunt het noemen wat u wilt, mevrouw.

Ondanks dat was het voor Victoria een belangrijk overgangsmoment. En hoewel het misschien gepaster geweest was als haar moeder bij haar was blijven wonen totdat ze getrouwd was, was de hulpbehoevende, eenzame kleine Drina nu iets uit het verleden. Op 13 juli 1837 ruilde de koningin Kensington in voor wat 'Het Nieuwe Paleis in Pimlico' genoemd werd. Ze was nu koningin Victoria, en in de toekomst zou de hertogin haar kamers niet meer mogen betreden, tenzij ze daartoe uitgenodigd was.

DE JONGE KONINGIN

arrangement,
Those been
perfect &
[illegible] inspired
[illegible] of London
complete Confi-
Queen was pleased
[illegible] of the
[illegible] day in
[illegible] the Duke of
Wellington was cheered
[illegible] he showed
[illegible]

Château de Windsor
6 7bre 1844.—
[illegible]
mon cœur pour
[illegible]
François II,
nous est d'une
[illegible] pour
attention
Madame
[illegible] Majes[illegible]
[illegible] dévoué
[illegible]
Victoria

[illegible]
Friedrich
ex decreto
[illegible]

'Wat was ik trots om de koningin van zo'n land te zijn'

···· VICTORIA ····

Op donderdag 28 juni 1838 bruiste heel Londen van opwinding. Vanaf zeven uur die morgen begon een illuster gezelschap van 10.000 lords en ladies, andere hooggeplaatste personen en diplomaten hun plaats in te nemen in de speciaal voor de gelegenheid gebouwde, tijdelijke galerijen van Westminster Abbey, bijna bezwijkend onder hun zware ceremoniële gewaden, pluimen en hoofdtooien en fonkelend van de diamanten.

De stad zinderde van spanning en afwachting, zoals dagboekschrijver lord Greville noteerde:

> *De drukte, de verwarring, de chaos, de menigte, het lawaai zijn onbeschrijflijk. Bedienden te paard en te voet, rijtuigen. Alles dringt en vermengt zich, overal liggen nog balken, overal vallen nog stukken hout, er wordt gehamerd en gezaagd, het lawaai is oorverdovend en dreigt het hoofd te doen ontploffen; mensen staan niet hier en daar in groepjes bijeen, de hele stad is één grote menigte, krioelend, bedrijvig, gapend en starend naar alles, wat dan ook, of in het niets; het park is één groot kampement, met vlaggen op de tenten, en alle straten zijn afgeladen en nog arriveren er per trein aldoor nieuwe mensenmassa's.*
>
> –Charles Grevilles dagboek, 27 juni 1838

Die massa's mensen waren bijeengekomen om te zien hoe de nieuwe jonge koningin gekroond zou worden. En hoewel ze dit toen nog niet konden weten, zou zij de daaropvolgende drieënzestig jaar hun koningin blijven.

Kort voor haar kroning waren er nog twee dringende kwesties die Victoria wilde afhandelen. De eerste betrof de naam waaronder ze wilde regeren als koningin. Hierop vooruitlopend had ze in november 1836 al aan haar oom Leopold geschreven:

> *U weet waarschijnlijk dat er, ongeveer een jaar na de troonsbestijging van de huidige koning, sprake van was dat mijn favoriete en dierbare naam Victoria veranderd zou worden in Charlotte, mij ook heel dierbaar, en dat de koning daarmee instemde. Toen dit mij verteld werd zei ik niets, hoewel de gedachte aan welke verandering dan ook me enorm veel verdriet deed. Niet lang daarna informeerden lord Grey en de aartsbisschop van Canterbury mama, dat het land dat mij inmiddels kende als Victoria gewend geraakt was aan de naam en hem mooi vond, en dat daarom, tot mijn vreugde, het plan van een naamsverandering opgegeven werd.*
>
> –Brief van Victoria aan Leopold, 21 november 1836

CONROY:
Ik denk dat je eerst zult moeten beslissen hoe je naam als koningin zal luiden. 'Alexandrina' klinkt te buitenlands en 'Victoria' is niet echt een naam voor een koningin. Je hebt iets traditionelers nodig, zoals Elizabeth misschien, of Anne. Elizabeth de Tweede klinkt heel goed.'

Vaultings
THE CORONATION
of Her Most Sacred Majesty
Admit Mr Jones
INTO WESTMINSTER ABBEY.
North Door
No. 244.
Norfolk Earl Marshal

Rechts: Een uitnodiging voor Victoria's kroning in Westminster Abbey

HET TWEEDE, STEEDS NIJPENDERE PROBLEEM lag een stuk gevoeliger. Ondanks het feit dat ze vol zelfvertrouwen naar Buckingham Palace verhuisd was, klaar om haar vleugels uit te slaan, bleef één ding Victoria bezighouden: wat te doen met haar moeder?

Haar grootste vertrouweling in die periode was haar premier, William Lamb, tweede burggraaf Melbourne, tegen wie ze opmerkte: 'Hoe vreselijk zou het vooruitzicht zijn van een nog eens jarenlange kwelling met mama hier.' De hertogin en zij konden het totaal niet met elkaar vinden. Mama's humeur was 'zo wisselend', klaagde Victoria tegenover hem; mama was 'lichtgeraakt' en 'jaloers'. Victoria besefte dat de situatie pas zou veranderen wanneer ze trouwde.

'Tja,' antwoordde lord Melbourne, '*dat* zou natuurlijk een oplossing zijn.' Victoria wist niet wat ze hoorde. Ze had nog absoluut geen plannen in die richting. Eindelijk was ze vrij, ze genoot van alle aandacht en privileges die bij haar positie hoorden en – al durfde ze dat bijna niet toe te geven – ze genoot ook van de macht. Waarom zou ze zichzelf dan opzadelen met alles wat er bij een huwelijk kwam kijken?

LEHZEN:
Hoe bevalt de noordvleugel, Koninklijke Hoogheid?

HERTOGIN:
Waar zijn de kamers van mijn dochter?

LEHZEN:
In de zuidvleugel, mevrouw.

HERTOGIN:
En waar slaapt u, barones?

LEHZEN:
Ik heb een kamer naast die van de koningin, met een tussendeur.

Ik zei tegen hem [lord M.] dat ik een hevige ruzie gehad had met mama [...] over hem; dat zij gezegd had dat lord M. mij te vaak bezocht; waarop lord M. antwoordde: De hertog van Wellington zei dat het goed was; en dat hij, als hij mij was, zich in het Paleis zou vestigen, waarop ik zei dat ik wou dat hij dat deed. Toen vertelde ik dat mama gezegd had dat lord M.s manieren tegenover mij niet correct waren (terwijl iedereen hem zo bewonderenswaardig vindt – zo respectvol en tegelijk zo vaderlijk) – waar lord M. zeer van schrok. 'Hoe kan ze zoiets zeggen?' zei hij. Ik zei hem dat we ook gekibbeld hadden over J.C. [John Conroy] en dat ik haar gezegd had dat altijd als ik haar wat vertelde, ze dat meteen weer doorvertelde.

VICTORIA'S DAGBOEK, 12 MEI 1839

CONROY:

U kon al nooit goed tegen champagne, mevrouw. Ik heb u gewaarschuwd. Ik stel voor dat u zich terugtrekt, voordat u uzelf in verlegenheid brengt.

SINDS HAAR TROONSBESTIJGING had Victoria de jaren van afzondering en onderdrukking op Kensington Palace snel weten in te halen. Als koningin had ze een dagelijkse routine ontwikkeld die goed bij háár paste en niet voorgeschreven was door Conroy en haar moeder. Na het ontbijt om acht uur ontving ze lord Melbourne in haar privéboudoir om samen de post van die dag door te nemen en te bespreken en andere staatszaken af te handelen. Later op de ochtend ontving ze dan andere ministers.

Na de lunch maakte ze meestal een stevige rit op haar paard, begeleid door haar gevolg en, uiteraard, lord M. Wanneer er nog tijd over was, handelde ze daarna de overige post af. Het diner, waarbij haar moeder zich soms op uitnodiging bij haar voegde, was om acht uur, gevolgd door muziek, kaartspelletjes en gesprekken met lord M.

Ook organiseerde Victoria een hele reeks diners, bals en recepties op Buckingham Palace en Windsor. Ze vond het heerlijk om laat op te blijven en tot vier uur in de ochtend te dansen. Zelfs gedurende rustige avondjes thuis maakte ze regelmatig opmerkingen over de vermoeide aanwezigheid van lord M. tot bijna middernacht. Want hoewel zij van elke minuut van zijn gezelschap en hun gesprekken samen genoot, moest Victoria's premier al zijn legendarische tact en verdraagzaamheid aanspreken om haar jeugdige energie bij te benen.

In november 1837 woonde Victoria in vol ornaat haar eerste opening van het parlement bij, waarbij ze een enorme beheersing uitstraalde in de manier waarop ze haar toespraken op langzame, ernstige en duidelijke wijze voorlas. En haar nieuwe positie en het jaarlijkse inkomen dat ze nu kreeg (van de staat) maakte het mogelijk om haar vaders schulden in één klap eindelijk af te lossen.

Victoria was eindelijk vrij en zeker niet bereid om haar onafhankelijkheid alweer op te geven door te trouwen.

LEHZEN:
Majesteit, het is nog zo vroeg. U moet rusten.

VICTORIA:
Ik kan niet meer slapen. Ik ben klaar voor deze dag.

Zoals haar nieuwe koningschap steeds meer invulling kreeg, zo gold dat ook voor de voorbereidingen voor haar kroning. Bijna 500.000 mensen uit heel Groot-Brittannië kwamen speciaal voor de gelegenheid naar de hoofdstad; anderen kwamen zelfs helemaal vanuit de Verenigde Staten. De straten waren versierd met vlaggen, en elk raam, balkon of ander strategisch punt langs de route van de processie – waarom Victoria specifiek gevraagd had – stond vol met toeschouwers, waarvan sommigen flink in de buidel hadden moeten tasten voor dit voorrecht. Zij die te arm waren om voor accommodatie te betalen hadden die nacht op straat en in de parken gekampeerd.

Op 28 juni werd Victoria 's ochtends om vier uur wakker van de kanonnen die in het nabijgelegen St. James's Park afgevuurd werden, waarna ze 'weinig meer had kunnen slapen door het lawaai van de mensen, muziekkorpsen et cetera'. Tot haar grote vreugde was Feodora overgekomen voor de kroning, samen met haar echtgenoot en twee jonge kinderen. Het was ook haar zus die de koningin op die ochtend van de kroning als eerste zag, toen ze na het ontbijt haar japon kwam bewonderen. Oom Leopold, zelf sinds zeven jaar koning der Belgen, had de uitnodiging om de gebeurtenis bij te wonen echter afgeslagen: 'De aanwezigheid van een koning en koningin bij jouw mooie kroning zou misschien een soort hors-d'oeuvre zijn,' schreef hij. Dit was Victoria's dag en die wilde hij niet overschaduwen.

Haar staatsieprocessie vanaf Buckingham Palace vertrok om tien uur en bewoog zich langzaam door de volle straten. Ze was verrukt door:

> *... de miljoenen van mijn trouwe onderdanen, die zich overal verzameld hadden om de stoet te kunnen zien. Hun vrolijkheid en buitengewone loyaliteit ging alles te boven en ik kan niet zeggen hoe trots ik me voelde om koningin van zo'n land te zijn.*
>
> –Victoria's dagboek, 28 juni 1838

HERTOGIN VAN KENT:
Niemand had ooit gedacht dat ze koningin zou worden, behalve ik.

Een luid 'Vivat Victoria Regina!' en trompetgeschal begroetten haar toen ze de Abbey betrad, 'als een meisje op haar verjaardag', zoals een van de bezoekers later zei. Te midden van zoveel pracht en praal, in een lange, karmijnrode fluwelen mantel, gedragen door acht hofdames, leek Victoria ontzettend klein en kinderlijk. Een fatsoenlijke repetitie was er niet geweest en de ceremonie verliep soms wat rommelig, maar tijdens de vierenhalf uur durende plechtigheid hield ze het hoofd koel. De kroon die ze droeg was niet de oude, drie kilo zware van haar voorgangers, maar een veel kleinere kroon, die speciaal voor haar vervaardigd was. Al hield ze er aan het eind van de dag alsnog hoofdpijn aan over. Over het moment van de daadwerkelijke kroning vertelde de hertogin van Cleveland later:

> *Ik denk dat haar hart wat sneller ging kloppen toen we bij de troon aankwamen; ze werd in elk geval een beetje rood op haar wangen, voorhoofd en zelfs in haar nek, en haar ademhaling versnelde wat. Maar ze beheerste zich en bleef keurig stilstaan terwijl de aartsbisschop haar, met bijna onhoorbare stem, uitriep tot onze absolute soeverein en 'Liege Lady*'.*
>
> –Herinnering van de hertogin van Cleveland

Hoewel het een uitputtende dag voor haar moest zijn geweest, beschreef Victoria de ceremonie tot in detail in haar dagboek, diezelfde dag nog. Over het moment dat de kroon op haar hoofd geplaatst werd schreef ze:

> *Mijn uitnemende lord Melbourne, die tijdens de hele ceremonie dicht bij mij stond, was diep onder de indruk en duidelijk aangedaan; hij keek me zo vriendelijk, en ik mag wel zeggen vaderlijk, aan. Het gejuich, dat geweldig was, de trommels, de trompetten, de saluutschoten, dat allemaal tegelijk zorgde voor een bijzonder indrukwekkend spektakel.*
>
> –Victoria's dagboek, 28 juni 1837

Terwijl zich in Hyde Park, waar een grote kermis in volle gang was, een enorme mensenmenigte verzamelde, keerde Victoria terug naar Buckingham Palace. Ze was opgelucht dat ze zich zo goed had weten te houden. Pas toen ze weer veilig binnen was en Dash hoorde blaffen, kwam het kind in haar weer boven. Nog altijd in haar ceremoniële gewaden tilde ze hem op en nam hem mee voor een bad.

Pagina 85: Verslag op de voorpagina van *The Observer* over de dag van de kroning, 1 juli 1838

*Dit is een middeleeuwse term die 'leenvrouwe' betekent: de vrouwe aan wie het volk trouw belooft in ruil voor bescherming.

The Observer.

(Established 1791.)

PRICE ONE PENNY.

JULY 1, 1838.

PRICE ONE PENNY.

THE OBSERVER:

A RETROSPECT.

Ten years ago, when that Empire on which, as it has been said, the sun never sets was rejoicing in the fact that Her Gracious Majesty Queen Victoria had been spared to rule her kingdom for half a century, we presented our readers with a facsimile copy of the number of *The Observer* for October 29th, 1809, which contained some particulars of the celebration of the Jubilee of King George III. To-day, when we are all rejoicing that Her Majesty has been spared to us for a further decade, and has completed the sixtieth year of her gloriously significant reign, and thus established her rule as unique in our annals in length of duration, as well as in moral, intellectual, and material advancement, we present our readers with a yet more interesting souvenir of the past in the shape of a reproduction of the greater part of our number for June, 1838, containing full and interesting particulars of the Coronation of Her Majesty at Westminster Abbey.

apply. Selected items of metropolitan and provincial news—often of the most trivial character—make up the tale of the contents of this unique number of *The Observer and Sunday Advertiser*.

Started rather more than one hundred and six years ago, at a time when the cataclysm of the French Revolution was shaking the old-established order of things in Europe to its very foundations, the paper has lived through many revolutions, peaceable and other. The very first number of *The Observer* was published on December 4th, 1791, and almost immediately we find it recorded, it "began to take the lead of the Sunday papers, which, of course were then sold at the same high price that the Stamp Duty rendered necessary for all the daily papers." So strong a position did the new comer take that before the close of the century the opponents of Sunday newspapers became alarmed at its popularity, and in 1799 Mr. William Wilberforce, so honourably associated with the abolition of slavery, proved himself a zealot in a mistaken cause when he became, with Lord Belgrave, jointly responsible for the introduction into the House of Commons of a Bill aiming at the abolition of Sunday newspapers. Lord Belgrave, in introducing this Bill

Op de avond van haar kroning ontving de koningin honderd gasten voor een diner op Buckingham Palace.

Toen ik plaatsnam zei ik tegen lord Melbourne dat ik toch wel wat vermoeid was; 'U moet heel moe zijn,' zei hij. Hij sprak over het gewicht van de mantel, etc., etc., de kronen; en met tranen in zijn ogen keek hij me aan en zei hij heel vriendelijk: 'En u deed het allemaal – elk onderdeel, fantastisch, met zoveel stijl; het is onmogelijk om iemand hierover te adviseren; zoiets is aan de persoon zelf.' Dit te horen uit de mond van deze vriendelijke, objectieve vriend, deed mij heel erg goed.

–Victoria's dagboek, 28 juni 1838

MELBOURNE:
De koningin is een bijzondere jonge vrouw en het is de grootste eer in mijn carrière om haar te mogen dienen.

Ondertussen schitterde heel Londen van de lichtgevende versieringen met de initialen VR en koninklijke kronen en sterren, in Green Park en Hyde Park werden twee gigantische vuurwerkshows gehouden. Veel theaters waren die avond gratis toegankelijk – op Victoria's expliciete verzoek – en door het hele land werden kroningsdiners gegeven.

De kosten van de kroning, die later vastgesteld werden op 69.421 pond, bleken een fractie van de enorme kosten die George IV in 1821 voor zijn overdadige ceremonie gemaakt had en ook de kroning van William IV had vier keer zoveel gekost als die van Victoria. Maar niet iedereen was hier blij mee, sommigen noemden Victoria's kroning 'krenterig', zonder al die pracht en praal waarop ze recht had. Toch was het voor het eerst dat het Britse volk had mogen genieten van de kroning van een jonge en knappe koningin. De laatste vrouwelijke monarch, koningin Anne, die reumatisch en zwaarlijvig was, was niet eens in staat geweest om te lopen of lang te staan tijdens haar eigen kroning in 1702.

Links: Victoria, gekroond terwijl ze nog een tiener was.
Rechts: De kroning van koningin Victoria

OOK AL HIELD DE EUFORIE over de kroning aan en genoot Victoria nog steeds van alle publieke genegenheid, toch zou ze al gauw ruw wakker geschud worden: haar eerste ervaring met het lastige pad dat een koningin moet bewandelen, wil ze die wankele goedkeuring behouden, zou haar een pijnlijke persoonlijke les leren. En dat allemaal wegens de al zo lang sluimerende vijandigheden tussen haar eigen gevolg en dat van haar moeder.

Victoria's langdurige hekel aan sir John Conroy was na haar kroning zeker niet minder geworden. En hoewel hij zichzelf al als haar privésecretaris zag, maakte zij snel korte metten met dit idee, zoals ze haar moeder vertelde:

> *Ik ging ervan uit dat je niet zou verwachten dat ik sir Jonn Conroy nog uit zou nodigen, na zijn gedrag tegenover mij de afgelopen jaren en meer nog na de onacceptabele manier waarop hij mij behandelde kort voordat ik op de troon kwam.*
>
> –BRIEF VAN VICTORIA AAN DE HERTOGIN VAN KENT, 17 AUGUSTUS 1837

CUMBERLAND:
De koningin moet ter verantwoording geroepen worden. Ze heeft lady Flora schandalig behandeld.

Wat Conroy betrof, was de jonge koningin meedogenloos. Ze had altijd al een hekel gehad aan zijn onbeschofte, bazige manier van doen, zijn gewoonte onaangekondigd haar kamers binnen te vallen en zijn geldzuchtige en vrekkige gedrag. Niemand was verbaasd toen later bleek dat hij 60.000 pond van haar moeders geld achterovergedrukt had.

Hoewel ze sir John na haar troonsbestijging uit haar appartementen verbannen had, kwam hij nog wel steeds bij de hertogin over de vloer. Hij werd daar regelmatig gezien in het gezelschap van lady Flora Hastings, de favoriete hofdame en vertrouwelinge van de hertogin. In januari 1839, tijdens een bezoek aan Schotland, reisde lady Flora samen met de drieënvijftigjarige sir John. Niet lang na haar terugkomst begon haar buik op te zwellen – iets wat ook de koningin niet ontging. Zowel Victoria als Lehzen vonden dat 'haar postuur verdachte vormen aannam'. En tijdens een gesprek met twee van haar hofdames, lady Portman en lady Tavistock, concludeerde Victoria dat Flora in verwachting moest zijn. Ze was ontsteld. 'De eer van de hofhouding van de koningin' was in het geding, met sir John Conroy als vermoedelijke dader.

2 februari 1839

Lady Flora was nog geen twee dagen hier toen Lehzen en ik ontdekten dat haar postuur verdachte vormen begon aan te nemen. Ook anderen is dit inmiddels opgevallen, en we twijfelen er dan ook niet meer aan dat ze - om het maar in gewone taal te zeggen - een kind verwacht. Clark kan de verdenking niet ontkennen; en de verschrikkelijke veroorzaker van dit alles is het monster en het vleesgeworden kwaad [Conroy], wiens naam ik niet wens te noemen. Lady Tavistock heeft, met goedkeuring van Lehzen, lord Melbourne op de hoogte gebracht, aangezien het toch een zaak van serieus belang betrof; naar aanleiding hiervan heeft hij mij deze avond geantwoord, zonder - heel fatsoenlijk - namen te noemen, en geadviseerd dat 'het enige wat ons te doen staat is rustig te blijven en het aan te zien'. Hiermee was dit verschrikkelijke onderwerp afgedaan. Een vrouw zou nog een afkeer krijgen van haar eigen sekse; hoe schandelijk en walgelijk slaafs en laag kunnen vrouwen zijn Het verbaast me niet dat mannen het vrouwelijk geslacht verachtelijk vinden!

Victoria's dagboek, 2 februari 1839

ALICE ORR-EWING
SPEELT LADY FLORA

LADY FLORA HASTINGS

- HOFDAME -

'Deze afschuwelijke kwestie met Flora'

···· VICTORIA ····

LADY FLORA HASTINGS, geboren in 1806, was de dochter van een voormalige gouverneur-generaal van India en een gravin uit een vooraanstaande Schotse familie. Ze was lang, slank en elegant en men vroeg zich vaak af waarom ze nooit getrouwd was. Dit had ongetwijfeld te maken met een te laag persoonlijk inkomen, aangezien ze al achtentwintig was toen ze in 1834 als hofdame in dienst kwam bij de hertogin van Kent.

Flora was een getalenteerde en intelligente vrouw; ze stond bekend om haar godvruchtigheid, maar was ook temperamentvol, met een scherp, bijna wreed gevoel voor humor. Soms kon ze wat gereserveerd overkomen en niet iedereen binnen de hofhouding mocht haar even graag. 'Hoewel lady Flora altijd beleefd is,' schreef een van de hofdames, 'is ze ook terughoudend en gesloten: het is moeilijk om vrienden met haar te worden.' Vooral barones Lehzen leed onder haar scherpe opmerkingen, aangezien Hastings er genoegen in schepte om de jaloezie van de hertogin aan te wakkeren omdat Lehzen steeds belangrijker werd voor haar dochter.

Voor haar trouw aan de hertogin van Kent werd lady Flora beloond met een promotie tot persoonlijke hofdame; sommigen dachten dat ze zo de plaats innam van de dochter van wie de hertogin zo vervreemd geraakt was. Anderen merkten op hoe vaak lady Flora zich in het gezelschap van John Conroy bevond – ongetwijfeld ook vanwege hun gezamenlijke taken, maar hun innige vriendschap was algemeen bekend en voer voor nog meer roddels.

Tijdens de aanhoudende strijd met haar moeder nadat ze de troon bestegen had, raakte Victoria geobsedeerd door het idee dat lady Flora haar bespioneerde – wat misschien ook wel zo was – en alles wat ze deed doorspeelde aan Conroy. Hierdoor was ze al geneigd om slecht over haar te denken. En toen eenmaal gesuggereerd werd dat lady Flora misschien zwanger was van Conroy, ging Victoria's toch al levendige fantasie met haar aan de haal.

Al snel bereikte lady Flora het nieuws dat er een 'duivelse samenzwering' tegen haar broeide en ze was ervan overtuigd dat Lehzen, die ze al nooit gemogen had, de persoon was die het vuurtje opstookte. Victoria's persoonlijke arts sir James Clark werd aangewezen om een medisch onderzoek uit te voeren bij lady Flora, aangezien dat het enige was wat de verdenkingen van de koningin en haar hofdames weg zou kunnen nemen. In werkelijkheid voelde lady Flora zich al een tijdje niet goed en klaagde ze over pijn in haar zij en hevige misselijkheid. Ze had sir James al eens geraadpleegd en hij had haar een paar eenvoudige maar nutteloze middeltjes tegen gasvorming en constipatie voorgeschreven. Uiteindelijk stemde ze in met het onderzoek, waarbij ze er wel op stond dat ook haar eigen dokter erbij aanwezig zou zijn. Maar tot die tijd, zo werd haar verteld, 'behaagde het de koningin dat ik me niet zou laten zien totdat ik aan de hand van het voorgestelde onderzoek zou worden vrijgesproken'. Wat ook gebeurde: het onderzoek op 17 februari toonde aan dat ze nog maagd was. De oorzaak van lady Flora's opgezette buik bleek een tumor op de lever.

De hertogin van Kent was geschokt: 'Woorden schieten te kort om te beschrijven wat ik voel en wat het met mij doet,' zei ze tegen lady Flora. 'Die arme koningin had het volledig bij het verkeerde eind! Wat verschrikkelijk.' Ze reageerde door niet langer samen met haar dochter aan tafel te willen zitten, totdat lady Flora's naam zou zijn gezuiverd. Op 23 februari bracht een berouwvolle koningin een bezoek aan lady Flora en was geschokt door wat ze zag:

> *Ze was bijzonder aangedaan en zag er erg ziek uit, maar toen ik haar omhelsde, haar hand pakte en mijn zorgen uitte en de hoop dat we dit achter ons konden laten – toonde ze zichzelf bijzonder dankbaar naar mij toe en zei dat ze, omwille van mama, al haar gekwetste gevoelens zou onderdrukken en de zaak als afgedaan zou beschouwen.*
>
> –Victoria's dagboek, 23 februari 1839

Hoewel lady Flora de emotionele verontschuldiging van de koningin aanvaardde, liet ze haar niet gaan zonder erop te wijzen dat 'ik zonder enige vorm van proces behandeld werd alsof ik schuldig was'. Ook was ze edelmoedig genoeg om de excuses van andere leden van de hofhouding voor hun laster te accepteren, maar enkel omdat de hertog van Wellington haar geadviseerd had dat te doen; het zou de koningin schaden als ze er nog langer mee zou wachten.

Lady Flora beschreef hoe lady Portman al snel daarna langskwam om 'haar spijt te betuigen voor het feit dat ze zo naar tegen me gedaan had. Ik gaf haar mijn hand als teken van vergeving, maar toen ze vroeg of ze nog eens kon langskomen, weigerde ik. Vergeven is één ding, vergeten iets anders. Tot het eerste ben ik godzijdank in staat, maar mijn geheugen is koppig.'

Union with
No Union with

MAAR HIERMEE WAS DE ZAAK NOG NIET AFGEDAAN. Om het allemaal nog erger te maken voor de onervaren Victoria, viel de lady Flora-affaire samen met een constitutionele crisis. In mei 1839, na een korte en gelukkige beginperiode met lord Melbourne als premier, werd hij gedwongen zijn ambt neer te leggen nadat hij een belangrijke stemming over hervormingen op Jamaica slechts op het nippertje gewonnen had. Zijn krappe meerderheid was onvoldoende om aan te blijven in de regering. Victoria, de altijd zo beheerste koningin, werd door dit nieuws weer even een opstandig klein meisje:

> *Al mijn geluk voorbij! Mijn heerlijke, vredige leven kapotgemaakt, die dierbare lord Melbourne is niet langer mijn minister [. . .] Ik nam die vriendelijke, dierbare hand van hem in de mijne en snikte, greep toen zijn hand met allebei mijn handen beet, keek hem aan en snikte het uit: 'U laat me toch niet in de steek?' Ik hield zijn hand nog een tijdje vast, niet in staat om los te laten; en hij keek me aan met een blik die zo vriendelijk was, zo vol medelijden en genegenheid. Door zijn tranen heen en met zeer aangedane stem wist hij ternauwernood 'O nee!' uit te brengen.*
>
> –VICTORIA'S DAGBOEK, 7 MEI 1839

VICTORIA:
Ik kan er niets aan doen dat mijn vrienden whigs zijn!

Victoria, opgevoed met sympathieën voor de whigs, had er moeite mee dat haar geliefde lord Melbourne opgevolgd werd door de stijve en formele leider van de tory's, sir Robert Peel, die ze maar een 'kille, vreemde man' vond. Erger nog, een regeringswisseling hield ook in dat sommige van haar whig-hofdames die banden hadden met Melbournes kabinet – in het bijzonder haar *Mistress of the Robes**, de hertogin van Sutherland, zus van een prominente whig – weg zouden moeten, als noodzakelijk teken van vertrouwen in Peels nieuwe kabinet. Maar Victoria verzette zich tegen wat zij zag als een inmenging in haar privézaken en weigerde om haar favoriete hofdames op te geven, van wie sommigen trouwe bondgenoten waren in de voortdurende strijd met haar moeder. Ze was ervan overtuigd dat ze door spionnen zou worden omringd wanneer zij vervangen werden en schreef Peel dat hen laten gaan 'in strijd was met haar gevoelens'. De resolute reactie van Peel op deze koppige weigering om mee te werken, inmiddels bekend als de *Bedchamber Crisis***, was dat hij dan niet in staat was om een regering te vormen. Victoria mocht dan wel gewonnen hebben en kon triomfantelijk toekijken hoe lord M. op 11 mei opnieuw aangesteld werd – het feit dat ze zich zo ondemocratisch opgesteld had, had haar reputatie schade toegebracht.

Hierboven: Sir Robert Peel – 'zo'n kille, vreemde man'

*NL: grootmeesteres. De hofdame die de leiding heeft over de andere hofdames.

**Een aantal hofdames was 'lady of the bedchamber', een meer ceremoniële functie.

VICTORIA MOCHT DAN HAAR ZIN GEKREGEN HEBBEN toen Melbourne onmiddellijk weer herbenoemd werd als premier, in de tussenliggende weken was de onheilspellende schaduw van de lady Flora Hastings-affaire wel blijven hangen. Eind juni was lady Flora doodziek en leed ze veel pijn en was het hof opgezadeld met een groot schuldgevoel – 'vol geruzie en verbittering' over Flora's situatie, aldus dagboekschrijver Charles Greville. Op 27 juni bezocht Victoria haar in het appartement van de hertogin, ongetwijfeld op zoek naar een laatste blijk van vergeving.

VICTORIA:
U hebt er geen idee van hoe vernederend het is - om hier te staan in de wetenschap dat iedereen je uitlacht.

MELBOURNE:
Wanneer ik in mijn slaapkamer gebleven was, elke keer als ik iets in de pers las wat ik niet leuk vond, dan zou ik daar nu nog zitten.

Ik ging alleen naar binnen en trof die arme lady Flora languit liggend op een bank aan, zo mager als iemand die nog in leven is maar kan zijn; letterlijk een skelet, haar lichaam echter heel erg opgezwollen, als dat van iemand die zwanger is; een zoekende blik in haar ogen, een blik haast van iemand die stervende is; haar stem klonk nog gewoon en ze had nog flink wat kracht in haar handen; ze was vriendelijk, zei dat het haar aan niets ontbrak en was dankbaar voor alles wat ik voor haar gedaan had, en dat ze blij was dat ik er goed uitzag. Ik zei tegen haar dat ik hoopte haar weer te zien wanneer ze beter was, waarop ze mijn hand beetpakte, alsof ze wilde zeggen: 'Ik zal u niet weerzien.'

–VICTORIA'S DAGBOEK, 27 JUNI 1839

Op 5 juli overleed lady Flora, met de hertogin van Kent knielend aan haar bed. 'Aangezien haar moeder hier niet is, neem ik graag haar plek in,' had ze gezegd. Een autopsie, op lady Flora's verzoek, bevestigde dat haar lever vergroot was en dat ze kanker had. De hele rampzalige affaire, die zelfs door lord Melbourne omschreven was als 'erg ongemakkelijk' voor de koningin, bleek behoorlijk wat schade aangericht te hebben. Hij had 'meer aandacht getrokken dan welke openbare en politieke zaak ook,' merkte Greville op, en 'had de populariteit van de koningin geen goed gedaan en het hof in opspraak gebracht en gehaat gemaakt'. De kranten stonden er vol mee, waarbij *The Times* de kant van de koningin koos en *The Morning Post,* die de familie Hastings steunde, een vilein stuk plaatste.

Ook werden er vulgaire pamfletten verspreid, met titels als *De martelares van het paleis* en *Een stem uit het graf van lady Flora.* Barones Lehzen werd gezien als iemand die een rol gespeeld had in de samenzwering tegen die arme, hulpeloze lady Flora en werd spottend 'een spuuglelijke buitenlandse van lage komaf' genoemd. Lady Flora's broer was woedend en legde de uiteindelijke schuld bij Melbourne, omdat die de roddels gevoed zou hebben, en daagde hem uit voor een duel. Opnieuw werd de hele affaire opgeblazen tot een groot schandaal, waarbij de bekende en invloedrijke familie Hastings publiekelijke excuses van de koningin eiste. In een wanhopige poging om de schade voor Victoria te beperken schreef Melbourne een verzoenende brief aan lady Flora's moeder, waarin hij haar verzekerde dat:

> *Hare Majesteit zich gehaast had om lady Flora Hastings te vertellen dat ze fout gezeten had met haar oordeel en dat Hare Majesteit er nog altijd graag alles aan wilde doen om de situatie te verzachten voor lady Hastings en haar familie, die zo pijnlijk geleden hebben onder alles wat er gebeurd is.*
>
> ~Brief van Melbourne aan de markiezin van Hastings, 12 maart 1839

Maar het mocht niet meer baten. Na lady Flora's dood volgde voor de koningin een periode van enorme impopulariteit. Ze werd openlijk uitgejouwd in het theater en er werd naar haar gesist wanneer ze een ritje door Hyde Park maakte; tijdens Ascot werd er 'Mevrouw Melbourne, waar is uw lammetje?' geroepen en zowel zij als Melbourne werden in de pers aangevallen. De affaire zou een dieptepunt in de drieënzestigjarige regeerperiode van de koningin blijven en Victoria zou altijd achtervolgd worden door haar vreselijke inschattingsfout. Het leerde haar het belang van nooit luisteren naar of meedoen aan roddels en was tevens een waarschuwing, samen met de Bedchamber Crisis, dat geen enkele koningin zich op zo'n onvergeeflijk partijdige manier mag gedragen.

Union with Freemen.
No Union with Slaveholders.
"ALL MEN ARE BY NATURE EQUALLY FREE AND INDEPENDENT."

WHIGS VS TORY'S

'Ik heb de tory's al nooit gemogen, maar nu haat ik ze echt'

···· VICTORIA ····

Toen koning William IV in juni 1837 overleed, werd er een algemene verkiezing uitgeroepen waarin de tory's van sir Robert Peel het opnamen tegen de whigs van lord Melbourne. Beide mannen leidden hun respectievelijke partijen al vanaf 1834: lord Melbourne als vertegenwoordiger van het district Leominster, en Peel als vertegenwoordiger van Tamworth. Bij de verkiezing won Melbourne 344 zetels en Peel 314, een resultaat dat Melbourne slechts een kleine meerderheid van veertien zetels bezorgde (aangezien het minimumaantal vereiste zetels 330 was) en aantoonde dat zijn partij terugliep in populariteit.

Al sinds de jaren tachtig van de zeventiende eeuw bestreden de whigs en de tory's elkaar in de Britse politiek. Hun rivaliteit was oorspronkelijk gebaseerd op religieuze verschillen: de whigs kwamen voort uit oude, gevestigde, aristocratische, protestantse families, terwijl de tory's belangenbehartigers van de landadel waren en aanhangers van de katholieke jakobieten. Tegen de tijd dat Victoria de troon besteeg voerden de whigs, eigenlijk de voorlopers van de *Liberal Party*, campagne voor parlementaire hervormingen en voor een grotere verantwoordingsplicht van de monarch aan het parlement, terwijl de tory's van sir Robert Peel de fundering legden voor de toekomstige *Conservative Party*.

Victoria was opgevoed tot een fervente whig-aanhanger, om sentimentele redenen: haar vader had ook sterke sympathieën voor de whigs gehad. Hierdoor koesterde ze een koppig en een verre van objectief wantrouwen ten aanzien van de tory's, al was tegen het einde van Williams leven wel duidelijk dat de politieke macht van de whigs tanende was. Victoria's hartstochtelijke sympathie voor de whigs werd zelfs alleen nog maar groter na het aantreden van haar whig-premier Melbourne, wat weer leidde tot haar enorm ondemocratische reactie op de Bedchamber Crisis van 1839. Tegelijkertijd was het ironisch dat haar weigering om Melbournes terugtreden te accepteren en haar whig-hofdames op verzoek van Peel te ontslaan, rechtstreeks inging tegen de hervormingsgeest en democratische instelling van de whigs, de partij die ze juist zo fanatiek steunde.

Zei dat hoewel ik de tory's al nooit gemogen had, ik ze nu echt haatte; en dat ik niet dacht dat ik ooit enig vertrouwen in hen kon hebben, en dat dat tegen mijn natuur in zou gaan.

–Victoria's dagboek, 4 april 1839

Links: Robert Peel arriveert bij het Lagerhuis.

AL MET AL BLEEK HET JAAR 1839 voorlopig het meest stressvolle jaar voor de jonge koningin te zijn, en ook een ware beproeving; het had een harde en eigenwijze kant van haar karakter aan het licht gebracht en een onaantrekkelijke koppige en arrogante trek. 'Arm koninginnetje!' schreef tijdgenoot en historicus Thomas Carlyle:

> *Hoewel ze op een leeftijd is waarop een meisje normaal gesproken amper een hoedje voor zichzelf kan uitzoeken, is ze belast met een taak waarvoor zelfs een aartsengel nog zou terugdeinzen.*
>
> –THOMAS CARLYLE

MELBOURNE:
Omdat we zo vaak samen zijn - we gaan bijna elke dag uit rijden en ik dineer bijna elke avond op het paleis - zou dit verkeerd kunnen worden geïnterpreteerd.

Een taak die tot dan toe, wat Victoria betrof, draaglijk gemaakt was door de aanwezigheid van één man: premier lord Melbourne. 'Hoe meer ik hem zie en hoe vaker ik hem spreek, hoe meer ik zijn goede en eerlijke karakter begin te mogen en te waarderen [...] en ik heb hem altijd al een vriendelijke en fantastische en plezierige persoon gevonden. Ik mag hem erg graag.' En inmiddels had ook Melbourne – tot zijn eigen verrassing – moeten concluderen dat zijn vermoeide en lege leven volledig opgeslokt werd door zijn jonge koningin. Want de koppige en vastberaden Victoria liet zich door niets – zelfs niet door roddels – weghouden bij haar geliefde premier.

LORD
M.

'Ik houd van deze geweldige man'

···· VICTORIA ····

TIJDENS KONINGIN VICTORIA'S LANGE BEWIND waren er meerdere sterke mannelijke figuren die op verschillende momenten hun macht en invloed uitoefenden, niet in de laatste plaats haar geliefde echtgenoot, prins Albert. Maar vóór haar huwelijk kwam deze belangrijke, cruciale invloed ongetwijfeld van misschien wel de minst voor de hand liggende man van allemaal – haar eerste premier, William Lamb, 2e burggraaf Melbourne.

Op het eerste gezicht leek deze charmante, knappe en wereldse man die zich bij voorkeur ontspande in zijn club en het leven over zich heen liet komen, een nogal sleetse kandidaat voor zo'n belangrijke taak als het opleiden van een jonge koningin. In 1837, inmiddels achtenvijftig jaar oud, begon hij al langzaam uit te kijken naar zijn pensioen. Maar in plaats daarvan werd hij, na de troonsbestijging van Victoria in juni, opgezadeld met de unieke en uitdagende opgave om 'de meest interessante geest en persoonlijkheid in de wereld' te onderwijzen en te ontwikkelen. In deze rol kwam hij er al snel achter dat er veel meer bij kwam kijken dan enkel eenvoudig ministerieel advies. Victoria wilde ook dat hij naar haar luisterde, haar vermaakte, haar gezelschap hield. Melbourne was haar goeroe en wijze raadgever, een surrogaatvader, hij bepaalde haar smaak in kunst, de boeken die ze las, de toneelstukken die ze zag. Ze hing aan zijn lippen – aangaande een breed scala aan onderwerpen – en Melbourne moest alle diplomatieke zeilen bijzetten om haar vurige heldenverering in toom te houden en niet in romantisch opzicht betrokken te raken.

De twee meest prominente mannen in het leven van de jonge Victoria waren sir John Conroy en oom Leopold geweest. Aan sir John had ze een grondige hekel en eenmaal koningin sneed ze zo snel mogelijk alle banden met hem door. In 1839 werd hij definitief van het hof verbannen, samen met zijn vrouw en zes kinderen.

Maar Leopold had wel degelijk grote invloed op haar. Vanaf het moment dat zijn nichtje geboren werd, en als zelfbenoemd zaakwaarnemer van het huis Saksen-Coburg was Leopold zich bewust van het enorme politieke voordeel dat het hem zou opleveren wanneer hij zijn nichtje veilig op de Britse troon zou weten te krijgen – een troon die eigenlijk bestemd geweest was voor zijn overleden vrouw Charlotte.

Vanaf circa 1835 was de jonge Victoria, die niets moest hebben van de dominante rol van Conroy en haar moeder, steeds afhankelijker geworden van haar oom, die in haar ogen een toonbeeld van deugdzaamheid was. De vele ellenlange preken van oom Leopold zorgden ervoor dat ze hem ging zien als een betrouwbare adviseur en vaderfiguur en ze klampte zich vast aan zijn voortdurende beschikbaarheid, aangezien ze geen andere mannen om zich heen had die ze in vertrouwen kon nemen. Oom Leopold was perfect. Hij was voor Victoria *'Il mio secondo padre* – of eigenlijk *solo padre,* omdat hij echt als mijn vader is, aangezien ik die niet meer heb'.

Maar zodra ze koningin was en al snel helemaal onder invloed kwam van lord Melbourne, veranderde er veel in Victoria's relatie met Leopold. Ze begon een hekel te krijgen aan zijn constante preken over Britse staatsaangelegenheden en buitenlandpolitiek. Na een meningsverschil over de Britse relatie met België in april 1839 wond ze er geen doekjes om:

19 april 1839

Ik ben blij dat ik een vonkje politiek in u wist aan te wakkeren, lieve Majesteit, en zo vriendelijk en goed verwoord. Ik weet dat uw grootmoedige hartje nooit iets anders dan het allerbeste zou willen voor een land waarin u zo geliefd bent. Maar feit is dat uw regering het voortouw genomen heeft in het in stand houden van een voorwaarde waaraan, zoals we inmiddels weten, moeilijk voldaan kan worden... Naar ons wordt niet geluisterd en regelingen worden ons opgedrongen...

Brief van Leopold aan Victoria, 19 april 1839

DIEU ET MON DROIT

30 april 1839

Mijn lieve oom,

Ik wil u bedanken voor uw laatste brief, welke ik zondag ontving. Hoewel u mijn politieke vonkjes niet lijkt af te keuren, denk ik toch dat het beter is om ze niet aan te wakkeren, aangezien ze anders misschien nog vlam zouden vatten, vooral omdat ik tot mijn spijt moet concluderen dat wij het op dit punt niet eens gaan worden. Om deze reden zal ik mezelf beperken tot enkel het uiten van mijn oprechte wensen voor het welzijn en de voorspoed van België...

Victoria R

Brief van Victoria aan Leopold, 30 april 1839

RUFUS SEWELL
SPEELT LORD MELBOURNE

'Hij was een beminnelijke man en iemand die oprecht gesteld was op zijn medemens. Ook werd hij wel beschreven als "de meest luie premier in de geschiedenis van Groot-Brittannië", omdat hij iedereen wantrouwde die ergens al te hartstochtelijk in geloofde. Maar hij wilde er gewoon graag uit komen met de mensen.'

LORD MELBOURNE

-VICTORIA'S EERSTE PREMIER-

'Mijn uitnemende lord Melbourne'

···· VICTORIA ····

MELBOURNE WAS EEN KIND VAN de Regency-periode, een voormalig compagnon van de dandy Beau Brummel en een echte charmeur. Hij kwam uit een zeer welgestelde familie, werd opgeleid in Eton en Cambridge en belandde in 1806 bijna als vanzelfsprekend in het parlement. Dat was beter dan bij justitie, waar hij eerst even halfslachtig wat aangemodderd had, hoewel hij moest toegeven dat de langdurige en vaak afstompende debatten in het Lagerhuis 'verdomd saai' waren. Nadat hij in 1834 al even kort als premier gediend had, kreeg hij de baan opnieuw in 1835.

Maar Melbourne geloofde niet echt in politieke hervormingen of vooruitgang. Hij was vooral uit op het leiden van een aangenaam leven: hij kon enorm genieten van de roddels in de salon van Holland House of met zijn voeten op de sofa ontspannen in zijn favoriete clubs: Brooks's en The Reform. Het laatste waaraan hij behoefte had was een jonge en onervaren koningin met raad en daad terzijde staan. Professioneel gezien was hij echter geknipt voor deze taak. Hij was klassiek geschoold, enorm belezen, had een encyclopedische kennis van politieke geschiedenis en jarenlange overheidservaring. Het duurde dan ook niet lang voordat hij toch plezier kreeg in de macht die hoorde bij zijn unieke positie als raadgever van de koningin. En waarschijnlijk kon hij weinig weerstand bieden aan haar vitaliteit, haar kinderlijke vertrouwen, haar charme en haar nieuwsgierigheid. Dat alles zorgde ervoor dat hij al snel helemaal opging in zijn nieuwe taak.

De eerste drie jaar van haar bewind legde Victoria elk moment dat ze met Melbourne doorbracht in bevlogen bewoordingen vast – opgetogen over het feit dat ze soms wel zes uur per dag samen doorbrachten, en vaak alleen. 'Ik prijs mezelf gelukkig dat ik zo'n man aan het hoofd van de regering mag hebben; een man aan wie ik veilig alles kan toevertrouwen,' schreef ze al binnen twee weken na haar troonsbestijging. 'Mannen zoals hij vind je nog maar weinig in deze wereld vol bedrog!'

Haar dagboek staat vol met verwijzingen naar zijn smaak in dingen, tot aan zijn afkeer voor gekookt schapenvlees en rijstpudding toe, en op elke bladzijde klinkt telkens weer 'Lord Melbourne zei…' In januari 1838 was hun relatie al zo intiem dat ze hem enkel nog aanduidde met 'Lord M.'.

Ik houd zoveel van deze lieve, uitnemende man, die de vriendelijkheid en verdraagzaamheid zelve is.

–Victoria's dagboek, 23 september 1839

Hierboven: 'Deze lieve, uitnemende man' – lord M. onderwijst Victoria.

DOORDAT ZE ZOVEEL TIJD in elkaars gezelschap doorbrachten, werd elk genoegen, elke gedachte en elke zorg van Melbourne ook die van de koningin. Ze maakte zich zorgen om zijn gezondheid, om zijn bleke gezicht na een lange, zware dag in het parlement, of hij wel genoeg sliep, of de kroningsceremonie niet te veel zou zijn voor hem, en ze overlaadde hem met complimenten en cadeautjes. Kortom, de koningin bood de oudere Melbourne het soort genegenheid dat hij al zo lang gemist had in zijn leven.

Hij op zijn beurt had een heel arsenaal aan verhalen waarmee hij zijn jonge leerling kon vermaken tijdens de vele nogal saaie avonden die hij met haar doorbracht op Buckingham Palace: 'Er komt geen eind aan de komische anekdotes en verhalen die lord Melbourne vertelt en hij vertelt ze ook allemaal op zo'n grappige manier,' schreef Victoria enthousiast. Ze genoot nergens meer van dan van zijn gezelschap na het diner, hoewel lord M. het wel jammer vond dat hij niet iets langer samen met de andere heren nog een portje kon blijven drinken. In plaats daarvan moest hij verplicht plaatjesboeken bekijken of luisteren naar een pianospelende of zingende Victoria. Ook werden er eindeloos kaartspelletjes, hints en dampartijen gespeeld en wist ze hem zelfs een keer over te halen tot een potje badminton. Daar zat hij dan, avond na avond, keurig beleefd met een schoolmeisje te praten, stijf rechtop, gevangen in de stilte en stijfheid van de hofetiquette, terwijl hij eigenlijk niets liever wilde dan naar huis en naar bed gaan. Af en toe viel het zelfs de koningin op dat de energie van haar premier afnam totdat hij soms onderuitzakte in zijn stoel en begon te snurken.

HERTOGIN:
Zie je hoe onmogelijk ze zich gedraagt? Ze luistert naar niemand, behalve naar haar nobele lord M.

Maar, zoals dagboekschrijver Charles Greville zo oplettend observeerde:

> *Hij behandelt haar met grenzeloos vertrouwen en respect, hij houdt rekening met haar smaak en wensen en hij stelt haar op haar gemak met zijn oprechte en natuurlijke manier van doen [...] Hij is vaderlijk en bezorgd, maar altijd respectvol en eerbiedig [...] Ik twijfel er niet aan dat hij bijzonder op haar gesteld is, zoals hij dat ook zou zijn op een dochter, mocht hij die gehad hebben, temeer daar hij een man is die in staat is om lief te hebben zonder iets op de wereld te hebben om lief te hebben.*
>
> –CHARLES GREVILLES DAGBOEK, 12 SEPTEMBER 1838

20 juli 1839

De koningin hoopt dat lord Melbourne goed geslapen heeft en geen nadelen ondervonden heeft van afgelopen avond. Het was verkeerd van hem om de koningin geen goedenacht te wensen, aangezien ze dat wel verwacht had in zo'n klein gezelschap, en omdat ze zag dat hij niet meteen na het diner vertrok. Hoe laat was hij thuis? De koningin vond het erg plezierig dat hij er gisteravond was.

Brief van Victoria aan Melbourne, 20 juli 1839

7 oktober 1839

De koningin zendt u dit kleine amulet, waarvan ze hoopt dat het lord Melbourne zal beschermen tegen alle kwaad. Het zou haar zeer gelukkig maken als hij het aan zijn sleutelbos zou hangen. Mocht de ring te klein zijn, dat moet lord Melbourne hem aan haar terugsturen, zodat ze het kan laten vermaken.

Brief van Victoria aan Melbourne, 7 oktober 1839

OVERSPEL

Toch had Melbourne niet helemaal een smetteloos verleden, want meer dan eens werd hij beschuldigd van *criminal conversation,* oftewel overspel. *Crim con,* zoals het vaak afgekort werd, was een juridische term die stamde uit het eind van de achttiende eeuw, en ging meestal gepaard met een schadevergoedingsclaim door de benadeelde partner van de echtbreker. In de dagelijkse omgang werd het algauw een algemeen gebruikt eufemisme voor overspel in scheidingszaken.

In 1828 stapte lord Branden naar de rechter om een schadevergoeding te eisen van lord Melbourne vanwege een affaire met zijn echtgenote, terwijl Branden als Eerste Secretaris voor Ierland in Dublin zat. De zaak werd geseponeerd. Maar in het voorjaar van 1836 werd Melbourne opnieuw beschuldigd van crime con toen de geachte George Norton lord Melbourne beschuldigde van overspel met zijn echtgenote. Het klopte dat Melbourne al een tijdje bevriend was met mevrouw Norton en dat hij haar regelmatig op weg naar huis vanaf Whitehall of het parlement thuis in Westminster bezocht had. Maar hun relatie was nooit verdergegaan dan een vriendschappelijk gesprek van een uurtje of zo. En hoewel ook deze zaak geseponeerd werd vanwege gebrek aan bewijs, was het voor Melbourne als premier toch een serieuze beschuldiging en kwam zijn kabinet er bijna door ten val. Hij bood aan om af te treden, maar koning William weigerde dit.

Melbournes bekwame juridische raadgever wist de zaak tegen zijn cliënt snel te slechten en na een proces van negen dagen oordeelde de jury dan ook in het voordeel van Melbourne en mevrouw Norton. Melbournes reputatie bleef min of meer intact – genoeg in ieder geval om aan te kunnen blijven als premier – maar die van Caroline Norton was geruïneerd. Toch bleef ze een trouwe vriendin van Melbourne en streed ze nog jarenlang voor de voogdijrechten van wettelijk gescheiden vrouwen over hun kinderen, nadat ze haar eigen voogdijschap na de rechtszaak van 1836 kwijtgeraakt was. Ook bleef ze zich onvermoeibaar inzetten voor hervorming van de echtscheidingswetten. In 1857 werd het gebruik van de term 'criminal conversation' afgeschaft.

Hoewel Melbourne dus een cynicus genoemd kon worden, die ooit de reputatie van een losbol had, had hij ook een zachte en sentimentele kant, die gevoelig was voor de jeugdige bezieling en ongekunsteldheid van de koningin. Maar hij bleef een melancholische man, die erg op zichzelf was. 'Zijn humor, zij het scherp, kwam bij vlagen; diep in zijn hart was het een treurige man,' zoals de dichter lord Lytton over hem schreef.

Victoria voelde dat hij ook een sombere kant had, aangezien ze wist dat zijn huwelijk ongelukkig geëindigd was. Op zesentwintigjarige leeftijd was hij verliefd geworden op lady Caroline Ponsonby, de dochter van de graaf van Bessborough, een knappe, bijdehante, roodharige vrouw die erom bekendstond nogal nerveus, zo niet geestelijk labiel te zijn. Het huwelijk was aanvankelijk gelukkig, maar het verlies van een dochtertje bij de geboorte en de last van de zorg voor hun epileptische en waarschijnlijk ook autistische zoon Augustus trok een sterke wissel op het huwelijk.

Victoria wilde Melbourne er verder niet naar vragen, maar haar natuurlijke nieuwsgierigheid was onverzadigbaar en ten slotte kwam ze toch meer te weten over het verhaal van lord M. en zijn vrouw Caro – zoals ze werd genoemd – van de hertogin van Sutherland:

> *Gisteravond vertelde de hertogin van Sutherland mij over lady Caroline Lamb, de echtgenote van lord Melbourne […] de vreemdste persoon die ooit geleefd heeft, half gestoord, en krankzinnig toen ze overleed; echt knap was ze niet, maar wel heel slim, en ze kon ook geestig zijn. Ze tergde die geweldige lord Melbourne waar ze kon, vreselijk, wat zijn leven behoorlijk vergalde […] maar hij bleef een goede echtgenoot voor haar en verdroeg het allemaal even bewonderenswaardig; elke andere man zou zich van zo'n vrouw hebben laten scheiden. En nu heeft hij schrik voor vrouwen die op wat voor manier dan ook excentriek of extravagant zijn.*
>
> ~Victoria's dagboek, 1 januari 1838

Om 2 uur vertrok ik met lord Melbourne, mijn geliefde
Lehzen, mejuffrouw Cavendish, lord Fingall, meneer
Cowper, kolonel Wemyss en kolonel Cavendish en co, en
om 1/4 over 5 waren we weer thuis [...] Ik reed op
Comus, die prachtig liep; we gingen hard - zeker 30 km
per uur; naar Swinley via Ascot Heath, waar we een
rondje over het parcours galoppeerden, en terug over
de Bagshot Road en door Sheep Street [...] Ik reed
de hele tijd tussen lord Melbourne (op een rustig maar
enthousiast paard, dat trok en heel hard ging) en kol.
Cavendish. Af en toe was ik wel een beetje bang dat
deze lange en snelle rit misschien wat te vermoeiend
voor mijn uitnemende lord Melbourne zou zijn. Mijn
lieve Daisy [Lehzen] doorstaat deze ritten altijd
fantastisch, hoewel ik ook bij haar soms bang ben dat ze
te vermoeiend en uitputtend zijn.

Victoria's dagboek, 17 november 1838

STIJGBEUGELHOUDER VAN HARE MAJESTEIT

'We gingen in volle galop'

···· VICTORIA ····

VICTORIA LEERDE paardrijden in 1832, toen ze dertien jaar oud was, en tot aan haar huwelijk in 1840 en de snelle komst van haar negen kinderen, was het een van haar favoriete buitenactiviteiten. Ze mocht dan wel klein en rond zijn en amper één meter vijftig, op de rug van een paard, in haar groenfluwelen rijkleding en hoge hoed met voile, straalde ze plotseling een opvallende en natuurlijke statigheid uit. Haar rijleraar was James Fozard, lid van de *Royal Mews* van Buckingham Palace, een van de beste rijinstructeurs van Londen. Hij kreeg de officiële titel van *Queen's Gentleman Rider* en vergezelde haar tijdens al haar ritten.

Al vanaf het begin bleek Victoria een groot natuurlijk talent te bezitten en ze was dan ook een bijzonder bedreven – bijna roekeloze – ruiter, met grenzeloze energie, die 'met volle teugen genoot' wanneer ze reed, zoals een toeschouwer eens opmerkte. Ze draaide haar hand niet om voor een tweeëndertig kilometer lange rit rondom het Great Park te Windsor, of een rondje vanaf Richmond Park naar Wimbledon Common en terug via Vauxhall Bridge, vergezeld door een entourage van vijfentwintig of dertig hovelingen met in knalrode jasjes gestoken begeleiders die vooruitreden om de weg vrij te maken. Vanaf Buckingham Palace reed ze naar Harrow, Willesden, Kilburn, de Edgware Road – toen dat allemaal nog landelijke gebieden waren.

Barones Lehzen vond het allemaal maar vermoeiend en had moeite om het allemaal bij te houden. Hetzelfde gold voor lord Melbourne: ondanks het feit dat ook hij een ervaren ruiter was, begon hij steeds meer op te zien tegen de lange, verplichte middagritten met de koningin. Hij liep inmiddels tegen de zestig en vond dergelijke excursies behoorlijk afmattend.

Nadat ze in 1837 op de troon gekomen was, wilde Victoria James Fozard graag in dienst houden, maar ze vond het moeilijk om een geschikte koninklijke benoeming voor hem te verzinnen. Ten slotte bedacht ze speciaal voor hem de nieuwe functie 'stijgbeugelhouder'. Het is niet precies duidelijk hoe lang Fozard de baan van 'Stijgbeugelhouder van Hare Majesteit' hield, maar nadat ze in 1840 zwanger raakte van haar eerste kind kwam er een eind aan de opgetogen verslagen over halsbrekende ritten in Victoria's dagboeken.

....

Linkerbladzijde, links bovenaan: Victoria – een getalenteerde en vaardige ruiter

In 1812 was de theatrale Caro volledig ontspoord en had ze zichzelf zes maanden lang in een hartstochtelijke en zeer publiekelijke affaire met de dichter lord Byron gestort, die op dat moment overal bejubeld werd vanwege zijn laatste werk *Childe Harold's Pilgrimage (De omzwervingen van jonker Harold).* De vernedering voor lord Melbourne, wiens naam nu ook in alle roddelcolumns opdook, was groot. Toch nam hij Caro, nadat de affaire uitgedoofd was, weer terug en zorgde hij voor haar totdat hij in 1825 eindelijk toegaf aan haar wens om te scheiden. Drie jaar later overleed ze, haar lichaam uitgeput door het vele drinken en de verdovende middelen.

Uiteindelijk, in april 1838, vertelde Melbourne de koningin iets over zijn gevoelens met betrekking tot lord Byron, de man die door zijn verdwaasde vrouw 'gek, slecht en gevaarlijk om te kennen' genoemd was:

> *Hij zei dat hij bijzonder knap was; hij had donker haar, was kreupel en liep vreselijk mank; ik vroeg of hij een vriendelijk gezicht had; hij zei van niet; 'hij had een sarcastische, sardonische blik in zijn ogen; een minachtende blik'. Ik vroeg of hij dan niet vriendelijk was; hij zei, 'dat hij overdreven vriendelijk kon zijn; hij had een mooie glimlach'; 'onvoorstelbaar verraderlijk; ik geloof dat hij hield van verraad'. Waaraan lord Melbourne nog toevoegde: 'hij wist iedereen in te palmen', om ze vervolgens te verraden; 'omdat hij zo'n goed verhaal wist te vertellen'.*
>
> –Victoria's dagboek, 6 april 1838

Wat Melbournes zoon Augustus betrof, die was in 1836 op tragische wijze overleden. In haar dagboek schreef Victoria op 29 september 1837 wat Melbourne gezegd had over de epilepsie waaraan zijn geliefde zoon geleden had en het verdriet dat hij daarvan gehad had:

> *'Het is een verschrikkelijke ziekte, waaraan niets gedaan kan worden; beetje bij beetje wordt het denkvermogen erdoor aangetast.' Dit zei hij over zijn arme zoon, die vorig jaar op negenentwintigjarige leeftijd is overleden en die als gevolg van epilepsie nogal zwakzinnig was; hij was zijn enige kind en een hele mooie jongeman, zeggen ze. Echt vreselijk. Lord Melbourne is zo bijzonder vriendelijk en meelevend, echt iemand die zo gelukkig zou zijn met een zoon, als je ook ziet hoe lief hij is voor zijn broer en zus en haar kinderen. Ze zeggen dat hij erg geleden heeft onder de dood van zijn arme zoon, hoewel het ook een opluchting moet zijn geweest.*
>
> –Victoria's dagboek, 29 september 1837

3 oktober 1837

Lord Melbourne reed de hele tijd bij mij in de buurt. Hoe meer ik hem meemaak en hoe meer ik over hem te weten kom, hoe meer ik zijn goede en eerlijke karakter begin te mogen en te waarderen. De afgelopen vijf weken heb ik hem veel gezien, elke dag, en telkens was hij opgewekt, vriendelijk, goed en meegaand. Ik heb hem in mijn boudoir ontvangen om over politieke zaken te praten, ik ben met hem gaan rijden (elke dag), ik heb tijdens en na het diner bij hem in de buurt gezeten en over van alles met hem gepraat, en ik vond hem altijd een vriendelijke en geweldige en hele plezierige man. Ik ben zeer op hem gesteld.

Victoria's dagboek, 3 oktober 1837

Mocht Victoria's affectie voor haar 'lieve lord M.' tot dan toe misschien nog niet zo zijn opgevallen bij het hof en haar onderdanen, nadat Melbourne in mei 1839 bij een parlementaire stemming zijn meerderheid begon kwijt te raken, viel het niet meer te ontkennen. Het nieuws, zo zei ze, 'raakte me in mijn hart en ik was vreselijk ongerust'. Toen hij haar later die ochtend een brief stuurde waarin hij bevestigde dat hij af moest treden, drong hij er bij haar op aan 'deze crisis tegemoet te treden met die vastberadenheid die bij uw karakter hoort, en met die rechtschapenheid en oprechtheid waarmee Uwe Majesteit alle problemen zal overwinnen'.

Maar dit keer luisterde zijn voorbeeldige leerling niet naar hem. Dagenlang huilde ze bij het vooruitzicht dat het dagelijkse gezelschap van haar geliefde lord M. haar binnenkort ontnomen zou worden en haar reactie was die van een koppig, tegendraads meisje en niet die van een koningin. Hoewel Melbourne overgehaald werd om aan te blijven, was het onvermijdelijk dat een dergelijke hechte relatie tussen koningin en premier voer voor vele roddels en insinuaties werd. De bijnaam 'Mevrouw Melbourne', die al sinds de Flora Hastings-affaire bestond, bleef hangen:

> *Ze zoekt echt geen ander gezelschap dan Melbourne, en met hem brengt ze [...] meer tijd door dan welke twee mensen, in wat voor relatie ook, ooit doen in hun leven. Dit monopolie is zeker niet verstandig.*
>
> –Charles Grevilles dagboek, 15 december 1838

Sommige kranten opperden zelfs dat Victoria met Melbourne wilde trouwen, wat ervoor zorgde dat het voor velen aan het hof en in de regering nog belangrijker werd dat de koningin dergelijke geruchten de kop in zou drukken door op zoek te gaan naar een echtgenoot – en snel ook.

Rechts: Victoria's geliefde lord M.

ALEX JENNINGS
SPEELT LEOPOLD

LEOPOLD

- VICTORIA'S OOM -

'Mijn lieve oom over wat voor onderwerp dan ook te horen praten, is als het lezen van een bijzonder leerzaam boek'

···· VICTORIA ····

Tijdens Victoria's jonge jaren was de meest invloedrijke mannelijke persoon haar oom Leopold. Leopold zag in 1790 in Coburg het levenslicht en werd al snel als een uitermate aantrekkelijke jongeman beschouwd met zijn groene ogen en modieus naar voren gekamde spuuglokken. Ook op latere leeftijd deed hij er alles aan zijn knappe voorkomen intact te houden, inclusief verhogingen in zijn schoenen om wat langer te lijken.

Tijdens de napoleontische oorlogen diende Leopold in het Keizerlijke Russische Leger, waarin hij het tot generaal schopte. Deel uitmakend van het gevolg van tsaar Alexander I reed hij in maart 1814 met het Russische leger triomfantelijk Parijs binnen. Het was Alexander die het plan opvatte om zijn beschermeling Leopold te laten trouwen met Charlotte, erfgename van de Britse troon, en in 1814 nam hij hem dan ook mee naar Londen.

Als lid van het relatief kleine en niet heel hoog aangeschreven hertogdom Saksen-Coburg-Saalfeld was het voor Leopold niet veel minder dan een coup om een prinses uit Groot-Brittannië aan de haak te slaan. Hij werd dan ook gezien als een slimme infiltrant. Aan het hof en binnen de Londense *society* vonden ze Leopold een 'jezuïet en een zeur', en 'een verdomde bluffer'.

Dagboekschrijver Charles Greville wond er ook geen doekjes om: Leopold was 'een armoedige idioot. Zijn zelfvoldaanheid is vermoeiend en zijn hebzucht walgelijk'. Ook koning William kon hem niet uitstaan; hij was zelf een preutse geheelonthouder.

Nadat de tragische dood van Charlotte in 1817 een voortijdig einde maakte aan hun huwelijk, troostte de Britse regering Leopold met een levenslang jaarlijks pensioen van 50.000 pond. De gehaaide opportunist die hij was, ging meteen op zoek naar nieuwe mogelijkheden. Hij reisde naar het continent, waar hij zijn enorme geslachtsdrift stilde met talloze affaires. Hij woonde weer in Coburg toen in 1819 zijn neefje prins Albert geboren werd; nog altijd wordt beweerd dat Leopold zijn eigenlijke vader was.

Victoria's dankbaarheid en bewondering voor Leopold waren grenzeloos; zelfs nadat hij in 1831 de Belgische troon besteeg bleef Leopold haar vanaf een afstand voorzien van godsvruchtige pareltjes van wijsheid. Een jaar later vond hij een nieuwe dynastieke bruid – Louise, dochter van Louis-Philippe, koning van Frankrijk, die tweeëntwintig jaar jonger was dan hij. Maar ook daarna nog bleef de hypocriete Leopold er allerlei maîtresses op na houden.

VICTORIA:
Ik heb op dit moment geen enkele behoefte om te trouwen. Zoveel gelukkige huwelijken om mij heen ken ik namelijk niet.

In de herfst van 1839 zette Leopold al zijn charmes in om een langgekoesterde wens, een huwelijk tussen zijn nichtje met haar neef Albert van Saksen-Coburg, te realiseren. Victoria was zich er terdege van bewust dat als zij zou komen te overlijden voordat ze getrouwd was en kinderen had, haar oom Cumberland de volgende op de Britse troon zou worden. Als tory in hart en nieren was Ernst Augustus, hertog van Cumberland, fel tegen een vrouw – zijn nichtje Victoria – als koningin. En hij was woedend dat zijn broer, de hertog van Kent, die hem beloofd had dat hij nooit zou trouwen, dit toch gedaan had en, erger nog, dat de hertogin een gezond kind gekregen had, waardoor zijn eigen hoop op de Britse troon in rook opgegaan was. Cumberland maakte geen geheim van zijn diepe afgunst jegens Victoria en in zijn streven naar een regentschap staafde hij, achter haar rug om, sir John Conroys bewering over haar mentale instabiliteit.

Toen Victoria in 1837, na het overlijden van haar oom William, koningin van Engeland werd, kon zij dit niet in Hannover worden; de Britse monarch was sinds 1714 ook koning van Hannover geweest, maar de Salische wet die in Hannover gold, verbood een vrouw om daar op de troon te komen. Oom Cumberland accepteerde in Victoria's plaats het koningschap over Hannover en vertrok naar Duitsland. Maar pas toen Victoria in november 1840 haar eerste kind kreeg, werd hij niet langer meer gezien als een bedreiging voor haar positie als Engelse koningin.

Toch was Victoria in eerste instantie niet van plan om binnen de eerste drie of vier jaar van haar koningschap te trouwen. In 1836, toen Leopold voor het eerst met haar over Albert begonnen was, had ze ermee ingestemd dat hij een bijzonder geschikte kandidaat leek, maar sindsdien had ze er niet echt meer over nagedacht. In april had ze Melbourne nog nadrukkelijk verteld dat '*mijn* gevoel echt tegen het idee van trouwen ingaat', en ze had in al even duidelijke bewoordingen aan haar oom Leopold duidelijk gemaakt dat ze geen enkele toezegging gedaan had wat Albert betrof:

'We zijn niet *verloofd*', hield ze vol.

Maar in oktober veranderde alles. Na genoten te hebben van de een-op-een politieke en sociale scholing van lord M. vond er een dramatisch omwenteling plaats in Victoria's relatie met hem. Aanleiding was de komst naar Windsor van die jonge neef uit Saksen-Coburg. Want of ze het nu leuk vond of niet, Alberts leven was, sinds hun slechts drie maanden uit elkaar liggende geboortes in 1819, allang onlosmakelijk verbonden met dat van haar.

PETER FIRTH
SPEELT DE HERTOG VAN
CUMBERLAND

HERTOG VAN CUMBERLAND

- VICTORIA'S OOM -

'Die oude ellendeling'

···· VICTORIA ····

Hoewel Victoria ervoor gezorgd had dat de bemoeizuchtige sir John Conroy na haar troonsbestijging heel snel afgevoerd werd, bleef haar vreselijk 'kwaadaardige oom' Ernst Augustus, hertog van Cumberland, de rechtmatige troonopvolger. Totdat zijzelf getrouwd was en een levend kind op de wereld gezet had. De humeurige, roofzuchtige hertog met zijn verzonken linkeroog en getekende gezicht met grote bakkebaarden (zijn bijnaam was 'lord Whiskerandos', naar een rol in een toneelstuk van Sheridan) was tijdens de jonge jaren van de koningin altijd als een onheilspellend figuur op de achtergrond aanwezig geweest. Hoewel hij vaak gezien wordt als de typische boeman, van wie velen aan het hof vermoedden dat hij de troon van de jonge koningin wilde afpakken, wijst niets erop dat hij Victoria ooit persoonlijk iets heeft willen aandoen.

De hertog, geboren in 1771, groeide op in Hannover en had in de jaren negentig van de achttiende eeuw een indrukwekkende militaire carrière bij de huzaren. Na 1807 werd hij steeds actiever in de politiek, maar alle hoop op een politieke carrière werd de grond in geboord toen hij in 1810 betrokken raakte bij een schandaal nadat zijn kamerdienaar Joseph Sellis met doorgesneden keel gevonden werd. Ernst beweerde dat de kamerdienaar hem aangevallen had – hij had inderdaad ernstige hoofdwonden die dit aantoonden – maar hoewel de officiële conclusie luidde dat Sellis zichzelf van het leven beroofd had, ging de pers ervan uit dat Ernst, met zijn gewelddadige reputatie, hem vermoord had.

Het duurde een tijdje voordat de hertog vrijgepleit was, waarbij men het er algemeen over eens was dat de op Corsica geboren Sellis hem aangevallen moest hebben vanwege Ernsts vurige antikatholieke gevoelens. Toch bleven de lasterpraatjes aanhouden. Zo circuleerden er ook ongegronde geruchten dat Cumberland de vader was van de onwettige zoon van zijn zus Sophia; de suggestie van een incestueuze relatie tussen de twee is nooit helemaal verdwenen.

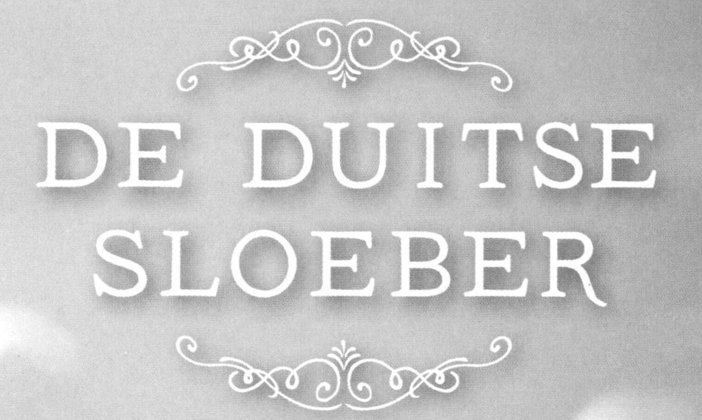

DE DUITSE SLOEBER

'Het is met een zekere emotie dat ik Albert aanschouwde... die zo mooi is'

···· VICTORIA ····

In 1835 was een bezoeker van Ascot verrukt toen hij een glimp opving van de jonge prinses Victoria, die meereed in de koninklijke processie. Ze droeg een grote roze hoed en ging gekleed in een roze japon 'die mooi kleurde bij de blosjes op haar wangen'. Hij vond haar 'bijzonder knap en interessant', maar had ook medelijden met haar:

> *Ze zal verkocht worden, het arme kind, verkwanseld door die gehaaide handelaars in koninklijke harten, wier berekenende plannen haar weinig troost zullen bieden, mocht ze een eigen smaak bezitten.*

Maar hij bleek ongelijk te hebben; al snel zou de troonopvolgster laten zien dat ze een heel eigen, uitgesproken smaak bezat en zich niet zou laten dwingen tot een huwelijk dat ze niet wilde.

Rechts: Prinses Victoria op zeventienjarige leeftijd, haar fluwelen jurk 'kleurde mooi bij de blosjes op haar wangen'.

IN 1828, toen ze nog tien moest worden, was er al een hele rits geschikte kandidaten voor Victoria de revue gepasseerd. *The Times* was geschokt over een dergelijk vroeg debat over Victoria's toekomst. De krant verwierp dan ook elke vorm van discussie 'over een verbond of uithuwelijking van kinderen' en hoopte dat 'deze kwestie nog een jaar of acht à tien vergeten zou kunnen worden'.

Helaas was dit niet het geval. Halverwege de jaren 1830 werd er weer volop gespeculeerd, waarbij de eerste keus voor Victoria's huwelijkskandidaat prins George was, zoon van Victoria's oom Cumberland. George was een logische optie, aangezien de Britse en de Hannoveriaanse troon destijds nog met elkaar verbonden waren, maar hij was door een ongeluk blind geworden en hoewel Victoria medelijden met hem had, heeft ze hem nooit serieus overwogen.

CUMBERLAND:
Je moet nú naar de koninklijke loge gaan, George. Voordat ze op die Russische schoot gaat zitten.

Ook toonde ze geen interesse in de volgende voor de hand liggende Engelse kandidaat – haar neef prins George van Cambridge, de zoon van haar jongste oom. Ook George stond hoog aangeschreven en werd gesteund door de regering, en een tijdlang hadden beide moeders goede hoop op een match. Maar George zag niets in Victoria; hij viel op aantrekkelijker vrouwen. Vrezend dat hij tegen zijn wil tot een huwelijk gedwongen zou worden, vluchtte hij richting de Middellandse Zee, om pas terug te keren toen de verloving van de koningin officieel was.

In november 1839 schreef Victoria aan Melbourne 'om hem verslag uit te brengen over het bezoek van de Cambridges':

> *Ze waren allemaal heel vriendelijk en beleefd, George was volwassener, maar niet knapper, en veel minder gereserveerd naar de koningin toe, duidelijk blij dat hij van me af was.*
>
> –BRIEF VAN VICTORIA AAN MELBOURNE, 18 NOVEMBER 1839

Door de jaren heen werden namen van verschillende buitenlandse prinsen genoemd als mogelijke echtgenoten: de hertog van Orléans en de hertog van Nemours – beiden zoons van de Franse koning Louis-Philippe. De eerste vond haar, Victoria, veel te klein; de tweede werd afgeschrikt toen hij haar tijdens een diner snel achter elkaar drie kommen soep naar binnen zag werken. Anderen passeerden de revue: Charles, hertog van Brunswijk vond men een excentrieke dandy en, na een onverschillig antwoord van de hertogin van Kent aan prins Adelbert van Pruisen, werden zijn ambities direct de kop ingedrukt. De voorkeur van de hertogin ging uit naar een van haar eigen neven, de prinsen van Württemberg.

VAN MEET AF AAN had koning William serieus overwogen om zijn nichtje uit te huwelijken aan een van de prinsen van Oranje-Nassau (de zoons van de prins van Oranje, de latere Nederlandse koning Willem II, met wie prinses Charlotte niet had willen trouwen). Maar Melbourne had allerlei bezwaren aangedragen toen zijn mening gevraagd werd en had geadviseerd 'dat vanuit politiek oogpunt gezien hij dit niet wenselijk achtte; dat het land geen verbintenis met Nederland zou willen'. William was geneigd hierin mee te gaan, maar tegelijkertijd wilde hij er alles aan doen om een door Victoria's moeder gearrangeerd huwelijk, hoogstwaarschijnlijk met een Duitser, voor te zijn.

Hierboven: Prins George van Cumberland, de eerste en favoriete kandidaat-echtgenoot voor Victoria

In 1836 werd er een serieuze poging gedaan door Victoria's moeder en oom om de genegenheid van de jonge prinses voor een jongeman te laten opbloeien. Een selectie van geschikte huwelijkskandidaten werd ten paleize uitgenodigd. De eersten die arriveerden, in maart 1836, waren Ferdinand en Augustus, zoons van prins Ferdinand van Saksen-Coburg. Victoria vond hen 'beide vriendelijke jongemannen' en leek de lange twintigjarige, bruinogige Ferdinand wel te zien zitten. Tijdens verschillende door haar moeder georganiseerde bals zwierde Victoria met de ene of de andere broer in quadrilles over de dansvloer en ze huilde toen Ferdinand twee weken eerder dan zijn broer weer vertrok. Maar het duurde niet lang voordat ze zich door Augustus liet troosten. Ze was zestien, een normale hormonale tiener, en haar verliefdheden kwamen en gingen, zoals bij elk schoolmeisje.

Niet lang daarna begonnen de hertogin van Kent en oom Leopold met het plannen van een bezoek van hun neven Ernst en Albert, zoons van hertog Ernst van Saksen-Coburg en Gotha, een klein Beiers hertogdom, niet veel groter dan het graafschap Staffordshire. Het lag op vijf dagen reizen per boot en koets van Engeland en stond ook wel oneerbiedig bekend als 'De Stoeterij van Europa'. Mede dankzij Victoria's huwelijk met Albert zouden de Saksen-Coburgs er aan het eind van de eeuw dan ook in slagen om op de tronen van Groot-Brittannië, België, Portugal en Bulgarije terecht te komen.

De koning was woedend toen hij hoorde dat de hertogin en Leopold dit 'familiebezoekje' aan het regelen waren en verklaarde dat 'de hertog van Saksen-Coburg en zijn zoons nooit een voet aan land zouden zetten in zijn land: ze mochten niet van boord gelaten worden en moesten teruggaan naar waar ze vandaan kwamen'. Meteen daarop nodigde hij de Nederlandse prinsen Willem en Alexander uit om naar Engeland te komen. Toen zij op 13 mei arriveerden en tijdens een bal op St. James's Palace aan Victoria voorgesteld werden, was ze niet onder de indruk en klaagde bitter bij oom Leopold over 'het ongenoegen' van hun aanwezigheid:

> *De jongens zijn erg gewoontjes en hun gelaatstrekken zijn een mengeling van Mongools en Nederlands, ze zien er bovendien zwaar, saai en angstig uit en ze zijn absoluut niet innemend. Tot zover de Oranjes, lieve oom.*
>
> ~Brief van Victoria aan Leopold, 17 mei 1836

Ze vrolijkte echter weer op toen, niet lang na het vertrek van de Oranjes, een uitgeputte prins Albert, nog niet helemaal bekomen van een vreselijke zeeziekte, samen met zijn vader en broer Ernst arriveerde. Victoria was onmiddellijk onder de indruk van de Saksen-Coburg-broers: ze waren charmant en zeer muzikaal en konden goed tekenen. Ze brachten veel tijd met zijn drieën door, speelden piano, tekenden, wandelden en reden paard in Kensington Gardens, en woonden enkele officiële gelegenheden bij in Londen. In een brief aan oom Leopold schreef ze:

> *Ik moet zeggen dat ze beiden zeer innemend zijn, zeer vriendelijk en voorbeeldig, en buitengewoon vrolijk, zoals jonge mensen ook horen te zijn; bovendien zijn ze bijzonder verstandig en zeer vlijtig.*
>
> –Brief van Victoria aan Leopold, 23 mei 1836

Maar het was de onderhoudende Ernst tot wie ze zich het meest aangetrokken voelde; Albert, hoewel 'buitengewoon knap', leek geen energie te hebben voor laat opblijven en gezellig doen.

Victoria wist heel goed dat oom Leopold al heel lang een van de twee Coburg-neven voor haar in gedachten had. Hoewel hertog Ernst zijn oudste zoon graag met Victoria had zien trouwen, was Leopolds voorkeur altijd naar de jongere broer Albert uitgegaan. Victoria reageerde diplomatiek door haar oom eraan te herinneren dat ze nog maar zeventien jaar was en veel te jong om te trouwen, maar hem toch te bedanken 'voor het vooruitzicht van een groot geluk waaraan u heeft bijgedragen, in de persoon van die lieve Albert'.

Inmiddels was Albert, gelukkig, door de keuring gekomen; Victoria had alle toepasselijke en voor de hand liggende dweperige complimentjes in haar dagboek geschreven, waarvan ze wist dat het door haar moeder gelezen werd, maar als potentiële huwelijkskandidaat zag ze Albert als een eventuele mogelijkheid, meer niet. Zoals lord M. haar later adviseerde: 'De Coburgs zijn niet geliefd in het buitenland en neven zijn niet goed.'

Bovenaan: 'Zo buitengewoon knap' – prins Albert, de prins-gemaal
Hierboven: Ernst, de meer onderhoudende van de twee broers

DAVID OAKES SPEELT ERNST

'Albert en Ernst scheelden maar iets meer dan een jaar in leeftijd en deelden een kamer, ze waren elkaars beste vrienden. Het grootste deel van hun jeugd brachten ze zonder moeder door en ze waren opgevoed door een louche en buitengewoon seksueel ingestelde vader, maar voor elkaar waren ze alles. Albert was een boekenwurm, hij hield van de meer serieuze kant van het leven. Met Ernst kon je lol hebben, het middelpunt van elk feestje. Als je plezier wilde maken was je het liefst in zijn gezelschap.'

ERNST

– ALBERTS BROER –

'Eerlijk en opgewekt'

···· FEODORA ····

HOEWEL ERNST ERIN GESLAAGD WAS om de jonge en ontvankelijke Victoria te charmeren tijdens zijn bezoekjes in 1836 en 1839, was hij aantrekkelijk noch schrander; hij had zelfs de bijnaam 'De clown van Coburg'. Maar hij was wel populair, onder andere bij Victoria's zus, Feodora. In een brief aan Victoria in 1836 schreef ze: 'Ernst is mijn favoriet, hoewel Albert veel knapper en slimmer is, maar Ernst is zo eerlijk en opgewekt.'

Zoals velen die onder de indruk waren van Ernsts oppervlakkige charme, had Feodora geen enkel oog voor het duistere en onaangename karakter dat daaronder verborgen lag. Want in het echt was hij net zo seksueel losbandig als zijn vader en spendeerde hij een groot deel van zijn inkomen aan prostituees en bordelen. Waar hij ook heen reisde in Europa, vrouwen zag hij als loslopend wild en getrouwde diplomaten werd aangeraden om hun vrouwen en dochters binnen te houden.

De vader van Ernst en Albert was inmiddels getrouwd met zijn nicht, met wie hij geen kinderen had, hoewel hij in 1838 wel een tweeling verwekte bij een dienstmeisje. Uiteindelijk zou hij de prijs betalen voor zijn dwangmatig wellustige gedrag door syfilis op te lopen. De geschiedenis herhaalde zich met Ernst. Toen die in 1840 in Engeland arriveerde voor het huwelijk van Victoria en Albert, bleek ook hij een geslachtsziekte te hebben, waarvoor hij behandeld werd op hetzelfde moment dat Victoria complimenteuze opmerkingen over hem in haar dagboek schreef.

Albert was uiteraard op de hoogte van het probleem van zijn broer en schreef hem een ferme brief: 'Als liefhebbende broer moet ik je adviseren om alle plannen voor een huwelijk binnen de komende twee jaar opzij te zetten en serieus te gaan werken aan het herstel en de versterking van je gezondheid [...] nu trouwen is zowel immoreel als gevaarlijk [...] voor jou. In het ergste geval beroof je je vrouw van haar gezondheid en eer, en mocht je kinderen verwekken, dan krijgen die een leven vol ellende [...] en je land een zieke troonopvolger. In het gunstigste geval heeft je vrouw geen respect voor je en dan zou haar liefde dus van geen enkele waarde voor je zijn.'

Twee jaar later trouwde Ernst met prinses Alexandrine van Baden en besmette hij haar met syfilis.

Toen Victoria in juni 1837 op de troon kwam, werd ze overdonderd door de 'Reginamania', die Groot-Brittannië overspoelde. Niet alleen prinsen en hun ouders bleken zichzelf geschikt te vinden voor de hand van de koningin: stapels brieven vol hartstochtelijke liefdesverklaringen en huwelijksaanzoeken begonnen Buckingham Palace binnen te stromen, allemaal afkomstig van een hele reeks stalkers en bewonderaars die beweerden dat ze de perfecte levenspartner zouden zijn. Sommigen van deze bewonderaars – in de pers 'liefjes van de koningin' genoemd – lukte het zelfs om het terrein van Buckingham Palace binnen te dringen.

Een onverzadigbare nieuwsgierigheid naar Victoria vulde de kranten in een tijd waarin de victoriaanse pers voorzichtig begon te proberen een massapubliek te bereiken, en dus werd er alles aan gedaan om geen detail ongemoeid te laten. Een van de eersten, een man genaamd kapitein John Goode, door de pers beschreven als 'lijdend onder de illusie dat hij voorbestemd was om op een dag de hand van Hare Majesteit te bezitten', viel Victoria al lastig toen ze nog een prinses was en op Kensington Palace woonde. Hij was haar zelfs eens gevolgd op vakantie naar Ramsgate en Hastings. Herhaaldelijk bleek hij rond te hangen rondom Kensington Palace, waar hij bij 'de ingang navraag deed naar de gezondheid van de koningin en trachtte binnen te komen, enkel om zijn naam in het gastenboek te kunnen schrijven'.

Hoewel hij Kensington Gardens uit gezet werd, bleef hij telkens weer terugkomen, in de hoop een glimp van Victoria op te vangen.

Zodra haar koets door de hekken kwam voor een ritje, volgde hij haar in zijn eigen rijtuig. Wanneer ze stopten en uitstapten, sprong ook hij naar buiten en probeerde haar aan te spreken. Later bleek dat Goode ervan overtuigd was dat hij de zoon was van George IV en dus de rechtmatige troonopvolger. Eén keer dook hij plotseling op naast het rijtuig van de koningin en riep: 'Ik zal ervoor zorgen dat u van de troon gestoten wordt, en uw moeder ook.' Nadat hij verschillende keren gearresteerd was op grond van lastigvallen van de koningin, werd hij in november 1837 opgenomen in het gesticht van Bethlem.

ELDERS WIST EEN VURIGE BEWONDERAAR de *Chapel Royal* binnen te komen om daar van zijn liefde voor de koningin te getuigen. En een kapitein bij de *Light Dragoons*, genaamd Tom Flower, probeerde de kroningsceremonie in Westminster te verstoren, nadat het hem in de opera niet gelukt was om tot in de koninklijke loge te komen; hij werd afgevoerd naar de gevangenis van Tothill Fields.

Anderen probeerden het paard van de koningin te laten stoppen wanneer ze uit rijden was; ene Ned Hayward deed dit in Hyde Park, zodat hij haar een brief kon overhandigen waarin hij haar vroeg met hem te trouwen. John Stockledge, door de satirische pers 'de zoveelste gestoorde aanbidder van de koningin' genoemd, zorgde tijdens de winter van 1837 ook voor nogal wat overlast. Deze groothandelaar in thee uit Manchester had al enige tijd doorgebracht in gestichten in Liverpool en Lancaster en beweerde de rechtmatige koning van Engeland te zijn.

Op 29 november arriveerde hij bij Windsor Castle (dat destijds nog niet zwaar beveiligd werd) en zei, toen hij de portier in de portierswoning zag zitten: 'Als koning van Engeland eis ik toegang tot het kasteel', waarop de portier antwoordde: 'Prima, Uwe Majesteit, maar wacht u hier even terwijl ik mijn hoed pak.' Waarna hij Stockledge mee het kasteel in nam en overdroeg aan de politie. Toen hem gevraagd werd naar zijn poging om binnen te komen, antwoordde Stockledge dat 'hij net zo was als al die andere mannen die een vrouw wilden – hij was er naar één op zoek'.

⁂

NA ALBERTS TERUGKEER naar Saksen-Coburg bleven hij en Victoria elkaar af en toe schrijven. Hoewel ze een mogelijk huwelijk met hem niet uitsloot, bleef ze volhouden dat ze allebei nog te jong en onervaren waren en dat Alberts Engels niet toereikend was. En dus toonde ze van een afstand interesse in Alberts voorbereidingen op de rol. Leopolds goede vriend en adviseur baron Stockmar nam Alberts scholing op zich, aanvankelijk met behulp van leraren in Brussel, later aan de universiteit van Bonn – alles met als doel om van hem de perfecte prins-gemaal te maken.

Rechts: Windsor Castle

IN 1839 OORDEELDE STOCKMAR dat Albert er klaar voor was; hij rapporteerde aan Leopold dat zijn beschermeling nu 'waarschijnlijk' de juiste kwaliteiten bezat om 'het andere geslacht mee te kunnen plezieren en dat zijn psychische toestand ook bijzonder goed was'. Maar Victoria zette haar hakken weer in het zand en bleef zeggen dat ze nog een jaar of drie, vier wilde wachten met trouwen. Op 15 juli schreef ze aan oom Leopold:

> *Hoewel al de berichten aangaande Albert allergunstigst zijn en hoewel ik er niet aan twijfel dat ik hem zal mogen, kan men toch nooit voor gevoelens instaan, en misschien heb ik niet de juiste gevoelens voor hem die nodig zijn om gelukkig te worden. Misschien mag ik hem enkel als een vriend, als een neef of als een broer, maar meer niet.*
>
> –BRIEF VAN VICTORIA AAN LEOPOLD, 15 JULI 1839

ALBERT:
O, u plaagt me. Ernst zegt altijd dat ik te serieus ben.

VICTORIA:
En u vertelt mij dat ik niet serieus genoeg ben.

ALBERT:
Voor een koningin misschien. Maar nu, zo zonder uw hoed, denk ik dat u precies goed bent.

TERWIJL LEOPOLD EN VICTORIA alle details over Albert bespraken alsof het een dekhengst betrof, begon Albert zelf wat geïrriteerd en ongeduldig te worden. Zijn trots was gekrenkt en hij dreigde zich terug te trekken. Toch werd hij overgehaald om, samen met Ernst, Victoria in oktober opnieuw te bezoeken. Inmiddels was het Victoria ter ore gekomen dat hij het niet meer zo zag zitten en ze was niet blij: 'Het lijkt erop dat ze weinig *empressement* [bereidwilligheid] hebben om hier te komen, wat me nogal choqueert.' Ondertussen raakte ze in mei nogal onder de indruk van een bezoek van de Russische troonopvolger, grootvorst Alexander Nikolajevitsj, die haar gecomplimenteerd had en lieve woordjes in het Frans in haar oor had gefluisterd. Ook had hij met haar tot drie uur 's nachts op de dansvloer in de rondte gezwierd, zoals ze in een brief aan Melbourne schreef:

> *De koningin danste de eerste en de laatste dans met de grootvorst, liet hem vlak bij haar zitten en probeerde heel voorkomend tegen hem te zijn, en ik denk dat we nu al goede vrienden zijn en het goed met elkaar kunnen vinden; ik mag hem bijzonder graag.*
>
> –BRIEF VAN VICTORIA AAN MELBOURNE, 11 MEI 1839

Hij was zo sterk, zo knap in zijn huzarenuniform, en ze dacht dat ze misschien wel verliefd was...

GASTVROUW VOOR DE GROOTVORST VAN RUSLAND

- HET BEZOEK VAN DE TSAREVITSJ, ALEXANDER NIKOLAJEVITSJ IN MEI 1839 -

VICTORIA'S EERSTE ERVARING met koninklijk bezoek uit het buitenland was in mei 1839, toen de Russische troonopvolger, grootvorst Alexander Nikolajevitsj, in Londen arriveerde voor een onofficieel bezoek.

Het was het eerste bezoek van een prominente Rus sinds Alexander I in 1814 naar Engeland gekomen was als bondgenoot tijdens de napoleontische oorlogen. Victoria was pas laat op de hoogte gesteld van zijn komst en had tegen lord M. gezegd dat ze daar 'best boos over was'. Maar ze draaide weer wat bij toen Alexander arriveerde, omdat hij 'rijzig was met een goed figuur, een aangenaam, open gezicht, zonder echt knap te zijn, mooie blauwe ogen, een korte neus en een mooie mond met lieve glimlach'. Alexander had een kist vol met doosjes ingelegd met diamanten en enorme diamanten ringen bij zich, die hij voortdurend aan alle belangrijke mensen uitdeelde. Omwille van het fatsoen logeerde hij niet bij de koningin, maar in het Mivart's Hotel (nu Claridge's). Toen Victoria hem uitnodigde om drie dagen op Windsor door te brengen werd daar met misprijzen op gereageerd.

Tijdens Alexanders verblijf werd hij door de Britse aristocratie in de watten gelegd. Hij bezocht Ascot, Woolwich Barracks, Oxford en zelfs de Tothill Fields-gevangenis in Londen, waar hij vroeg om een lijst met alle namen van gevangenen met een schuld onder de vijf pond – die hij vervolgens volledig kwijtschold. Victoria nodigde hem mee uit naar de Italiaanse opera, waar ze volgens het protocol in afzonderlijke loges moesten zitten. De tongen kwamen dan ook los toen Alexander, tijdens een pauze, Victoria's loge binnenglipte om een praatje te maken – achter een dichtgetrokken gordijn. Het ontging de leden van het Russische gevolg niet dat de twee het wel heel leuk hadden met elkaar en er werd een spoedbericht naar tsaar Nicolaas in Rusland gestuurd:

> *De koningin geniet duidelijk van het gezelschap van Zijne Keizerlijke Hoogheid. Iedereen zegt dat ze een ideaal paar vormen. Mocht de grootvorst de koningin een huwelijksaanzoek doen, dan zou dit zonder aarzeling geaccepteerd worden.*
>
> ~SPOEDBERICHT AAN TSAAR NICOLAAS, MEI 1839

Uiteraard was het uitgesloten dat Victoria met een Russische grootvorst zou trouwen, maar toch schrok de tsaar, die wist hoe impulsief zijn zoon kon zijn, hier wel van. Hij wilde niet dat Alexander ook maar zou overwegen om in de schaduw van de Engelse koningin te staan – net zomin als Victoria haar macht met een Rus had willen delen. En dus ontbood tsaar Nicolaas zijn zoon Alexander onmiddellijk naar Darmstadt, waar deze zich niet veel later zou verloven met prinses Marie van Hessen.

Aan het eind van zijn bezoek genoot Alexander nog van een diner in de schitterende St. George's Hall in de staatsappartementen van Windsor. Het 'zag er prachtig uit,' schreef de koningin:

Even na twaalven betraden we de eetzaal voor het diner; na het diner werd er geloof ik nog bijna een halfuur de mazurka gedanst; de grootvorst vroeg me ten dans, waar ik ja op zei [...] de grootvorst is zo sterk dat je tijdens de rondes heel snel moet volgen, waarna je wordt rondgedraaid als bij een wals, wat heel plezierig is [...] Ik heb me nog nooit zo vermaakt. We hadden allemaal zoveel plezier; om 1/4 voor 3 ging ik naar bed, maar pas tegen vijven viel ik in slaap.

~VICTORIA'S DAGBOEK, 27 MEI 1839

Bij zijn vertrek uit Engeland, nadat hij nog 20.000 pond had uitgedeeld aan verschillende goede doelen en arme mensen, had Alexander nog één afscheidscadeau. Hij doneerde driehonderd pond aan *The Jockey Club*. Uit dank riep de club een race uit in zijn naam – de *Cesarewitch Handicap*, die nog altijd in Newmarket gehouden wordt. Toen hij op 29 mei afscheid nam van Victoria, vertelde hij haar hoe geraakt hij was door de ontvangst die hij in Engeland gekregen had:

[Hij] vertrouwde erop dat dit de banden van vriendschap tussen Engeland en Rusland alleen maar zou versterken [...] Ik kuste hem op de wang; waarna hij die van mij [wang] ook warm en liefhebbend kuste en we schudden elkaar opnieuw hartelijk de hand. [...] Het maakte me zo verdrietig om afscheid te moeten nemen van deze lieve, vriendelijke jongeman, op wie ik geloof ik (schertsend gezegd) een beetje verliefd geworden ben.

~VICTORIA'S DAGBOEK, 29 MEI 1839

De knappe Alexander was weg, maar Victoria troostte zichzelf door de favoriete quadrille van de grootvorst te spelen – *Le Gay Loisir.*

Rechts: Alexander II van Rusland – 'ik kuste hem op de wang'

Maar zodra Albert in oktober arriveerde, waren alle anderen vergeten. Na drieënhalf jaar beleefde Victoria een magisch moment, dat sindsdien onsterfelijk geworden is. Bij het weerzien met prins Albert stelde ze sprakeloos van verbazing vast dat de onbeholpen Duitse kikker veranderd was in de prins van haar dromen:

> *Om 1/2 8 wachtte ik bovenaan de trap op mijn lieve neven Ernst en Albert – die ik veranderd vond, hij was volwassen geworden en knap. Het vervulde me met enige emotie om Albert te zien.*
>
> –Victoria's dagboek, 10 oktober 1839

PENGE:
Wat denkt u, mevrouw Jenkins? Zou Hare Majesteit gevoelig zijn voor een Coburger worstje?

Vervolgens dweepte ze in haar dagboek over Alberts charme en hoe 'ongelooflijk knap' hij was. Hij had 'zulke mooie blauwe ogen, een mooie neus en een zeer zoete mond met een fijn snorretje en heel elegante bakkebaarden; hij heeft een goed figuur, brede schouders en een smalle taille'. En dan bleek hij ook nog eens geweldig te kunnen dansen. Op 11 oktober, toen ze samen dansten, gaf ze hem een bloem uit haar boeket. Bij gebrek aan een knoopsgat om de bloem in te steken pakte Albert een klein zakmes, sneed een gaatje in zijn uniform ter hoogte van zijn hart en stak de bloem erin. Dat was genoeg om elk romantisch ingesteld twintigjarig meisje te laten smelten. Victoria besloot al snel dat ze met hem wilde trouwen en vroeg om lord Melbournes goedkeuring. Die was opgetogen. 'Ik denk dat het heel goed is, en het zal voor u ook beter zijn; een vrouw kan welbeschouwd niet te lang alleen blijven, wat voor positie ze ook bekleedt,' vertelde hij haar.

Hierboven: Prins Albert – 'zulke mooie ogen'

Mijn liefste oom,

Oom Ernst en mijn neven arriveerden hier woensdag, gezond en wel. Oom ziet er bijzonder goed uit en mijn neven zijn heerlijke jongemannen. Ik zal u geen gedetailleerde beschrijving van hen geven, aangezien u hen binnenkort zelf gaat zien. Maar ik moet zeggen dat ze beiden zeer innemend zijn, zeer vriendelijk en voorbeeldig, en buitengewoon vrolijk, zoals jonge mensen ook horen te zijn; bovendien zijn ze bijzonder verstandig en zeer vlijtig. Albert is extreem knap - iets wat Ernst zeker niet is, maar hij heeft een allervriendelijkst, eerlijk en verstandig voorkomen. Op vrijdag namen wij hen mee naar de opera, naar 'Puritani', en omdat ze net als ik bijzonder veel van muziek houden, raakten ze helemaal in extase, aangezien ze geen van de zangers al kenden...

Brief van Victoria aan Leopold, 23 mei 1836

Mijn liefste oom,

Deze paar regels zullen u door oom Ernst overhandigd worden zodra hij bij u aankomt. Ik moet u bedanken, mijn lieve oom, voor het vooruitzicht van het grote geluk waartoe u zozeer bijgedragen hebt, in de persoon van die lieve Albert. Sta mij dus toe, mijn liefste oom, u te zeggen hoe blij ik met hem ben, en hoezeer hij mij in alle opzichten bevalt. Hij bezit alle kwaliteiten om mij volkomen gelukkig te maken. Hij is zo verstandig, zo vriendelijk en zo goed en ook zo beminnelijk. Bovendien heeft hij het meest aangename en innemende voorkomen dat iemand zich maar wensen kan. Ik moet u alleen nu vragen, mijn liefste oom, om te waken over de gezondheid van hem die mij nu zo lief is, en hem onder uw bijzondere bescherming te nemen. Ik hoop en vertrouw erop dat alles voorspoedig en goed zal verlopen wat dit voor mij zo belangrijke onderwerp betreft. Zoals altijd, mijn liefste oom, uw meest liefhebbende, toegenegen en dankbare nicht.

Brief van Victoria aan Leopold, 7 juni 1836

TOM HUGHES SPEELT ALBERT

'Victoria was nog heel jong toen ze op de troon kwam en Albert was, net als Melbourne, iemand die ze kon vertrouwen in een wereld vol hielenlikkers die bij haar in de gunst wilden komen om er zelf beter van te worden. Albert bezat emotionele kracht en integriteit – kwaliteiten die waarschijnlijk een uitdaging vormden voor Victoria, maar die ze tegelijk aantrekkelijk vond. Hoewel hij tot op zekere hoogte onderdanig moest zijn, vanwege de etiquette, was hun relatie toch gelijkwaardig. Ze zat niet te wachten op een schoothondje.'

ALBERT

- VICTORIA'S NEEF EN ECHTGENOOT -

'Hij is zo verstandig, zo vriendelijk en zo goed'

···· VICTORIA ····

Prins Albert van Saksen-Coburg en Gotha was de zoon van hertog Ernst I en Louise van Saksen-Gotha-Altenburg. Zijn ouders waren in 1816 getrouwd, voor zijn vader een gunstig dynastiek gearrangeerd huwelijk, waarbinnen de knappe en intelligente Louise het zwaar te verduren had en waarin haar privévermogen er snel doorheen gejaagd werd. Ernst had een hele reeks buitenechtelijke relaties en verwekte drie onwettige kinderen. Om wraak te nemen, maar evenzeer uit gevoelens van eenzaamheid ging ook Louise op zoek naar minnaars. In 1818 kreeg het paar een zoon, Ernst, en in augustus 1819 een tweede zoon, Albert. Maar de hertog had al snel genoeg van Louise en in augustus 1824 verbande hij haar uit Coburg; ze zag haar twee zoons nooit meer terug. In 1826 hertrouwde Louise, maar in 1831 overleed ze aan baarmoederkanker. Ook al had Albert haar na zijn vijfde nooit meer gezien, hij zou altijd blijven lijden onder het verlies van zijn moeder.

Het grootste deel van zijn jonge jaren bracht prins Albert door op Rosenau, een neogotisch jachtverblijf, zes kilometer buiten Coburg, waar hij een grote liefde ontwikkelde voor het omringende Thüringer Woud. Naarmate hij ouder werd veranderde hij van een verlegen en wat gezette jongeman in een aantrekkelijke, belezen en capabele prins. Na zijn studie aan de universiteit en zijn training in schermen, paardrijden en dansen maakte Albert een rondreis door Zuid-Duitsland, Zwitserland en Italië, de zogeheten *grand tour,* om zijn opvoeding te voltooien. Het resultaat was een man met een goede opleiding, een bijzonder ontwikkelde smaak in kunst en muziek en – een wonder in die tijd – een nog altijd smetteloze reputatie.

Ik heb u vandaag bijeen laten komen om u mijn voornemen kenbaar te maken in een kwestie betreffende het welzijn van mijn volk, en het geluk van mijn toekomstige leven.
Het is mijn voornemen om mijzelf te verbinden met de [sic] prins Albert van Saksen-Coburg en Gotha. Diep onder de indruk van de ernst van de verbintenis die ik zal aangaan, ben ik niet tot deze beslissing gekomen zonder een volwassen afweging, noch zonder een sterk gevoel van overtuiging dat, met de zegen van de Almachtige God, het zowel mijn huiselijk geluk zal zeker stellen alsook het belang van mijn land zal dienen.
Ik achtte het passend u tijdig te informeren over dit voornemen, zodat u volledig op de hoogte bent van een kwestie die zo belangrijk voor mij is en voor mijn koninkrijk, en waarvan ik zeker ben dat die ook aanvaardbaar zal zijn voor al mijn liefhebbende onderdanen.

Victoria R

Victoria's verklaring aan de Privy Council betreffende haar huwelijk, 23 november 1839

Op 15 oktober 1839, vertrouwend op haar unieke koninklijke recht, wat inhield dat zij *hem* ten huwelijk moest vragen, liet Victoria haar neef Albert bij zich komen in haar kleine blauwe kleedkamer.

> *Om ongeveer 1/2 1 liet ik Albert bij me komen. Hij kwam naar het boudoir, waar ik alleen was, en na een paar minuten zei ik tegen hem dat ik dacht dat hij wel wist waarom ik hem bij me geroepen had, en dat het mij zo gelukkig zou maken als hij in zou stemmen met wat ik wilde (met hem trouwen). We omhelsden elkaar keer op keer en hij was zo lief, zo teder; o! te voelen dat ik geliefd werd en word door zo'n engel als Albert, is een te groot genoegen om te beschrijven! Hij is perfect; perfect in alles, in schoonheid, in alles!*
>
> –Victoria's dagboek, 15 oktober 1839

LEOPOLD:
Normaal gesproken is het de man die zijn liefde moet verklaren, maar in jouw geval moet je over je maagdelijke nederigheid heen stappen en Albert ten huwelijk vragen.

Alle gedachten aan het nog een jaar of drie, vier uitstellen van het huwelijk waren verdwenen: 'Het zien van Albert veranderde alles.' Albert was overweldigd en schreef aan zijn stiefmoeder in Coburg: 'Ik was verrukt door de opgewekte en open manier waarop ze me dit vertelde. En ik was er behoorlijk door van mijn à propos.' Ook 'snapte hij nog steeds niet helemaal waaraan hij zoveel genegenheid verdiende'. Want nu het hoge woord eruit was bleek Victoria's liefde, zo ontdekte hij al snel, een eindeloze stortvloed.

Het schijnt dat, nadat Albert teruggekeerd was naar Coburg, de koningin hem zo vreselijk miste dat ze de hele tijd 'alleen nog maar Duitse liedjes' zong, waarvan ze er veel samen gezongen hadden tijdens zijn bezoek. Uit solidariteit begonnen romantisch ingestelde jonge vrouwen in het hele land al gauw te zwijmelen bij een populair Duits liedje – vrij vertaald: 'Bij het afscheid ving ik haar traan op.' Onder de naam *'Prince Albert's Parting Song'* werd het voor twee shilling verkocht. Het werd het victoriaanse equivalent van een hit.

Rechts: 'Hij is perfect' – Albert maakt Victoria het hof.

Nadat Albert teruggekeerd was naar Coburg om zich voor te bereiden op het huwelijk, vertoonde de jonge koningin plotseling een opvallende vastberadenheid. Prins Albert moest ridder in de Orde van de Kousenband worden en de rang van veldmaarschalk in het Britse leger krijgen; ook zou hij de Britse nationaliteit krijgen en in het vervolg de titel Zijne Koninklijke Hoogheid dragen. Maar zelfs de inschikkelijke lord M. protesteerde tegen Victoria's eis dat hij 'koning-gemaal' zou worden: 'In 's hemelsnaam, mevrouw,' zei hij, 'ik wil er niets meer over horen. Zodra u het Engelse volk een manier geeft om koningen te maken, dan weten ze dat ook weer ongedaan te maken.'

Ook probeerde Victoria een aardig inkomen bij de regering los te peuteren voor haar toekomstige echtgenoot. In januari stelde lord John Russell een jaarlijkse toelage van 50.000 pond voor, het bedrag dat ook prins Leopold – 'die onwelkome buitenlander' – ontvangen had. En dan was er nog de publieke weerzin tegen alweer een Duitse pauperprins, ook nog eens van het huis Saksen-Coburg, die met iemand van de koninklijke familie trouwde. In populaire liedjes zoals *'The German Bridegroom'* werd Albert spottend een *gold digger* genoemd.

Groot-Brittannië kampte met zware economische problemen en de koningin had na het debacle van de Bedchamber Crisis en de Lady Flora-affaire nog niet alle harten van de bevolking teruggewonnen. In het parlement merkte het radicale kamerlid Joseph Hume op dat 'zo'n jongeman in Londen neerzetten met zoveel geld in zijn zak enorm gevaarlijk was'. De *Commons* brulden van het lachen om deze opmerking en dankzij een wetsvoorstel van de tory's werd de toelage teruggebracht naar 30.000 pond.

> *Tegen elven ontving lord M. een bericht van Stanley met de mededeling dat we met een verschil van 104 stemmen verloren hadden; dat er een echte partijkwestie van gemaakt was (achterbakse, duivelse, vervloekte tory's), dat Peel gesproken en tegen de 50.000 pond gestemd had (vuile schoft), en Graham ook. Zolang als ik leef, zal ik die duivelse ellendelingen, met Peel aan het hoofd, deze daad van persoonlijke rancune nooit vergeven!*
>
> ~Victoria's dagboek, 27 januari 1840

Tot grote ergernis van Victoria weigerde het parlement om een Precedency Clause aan te nemen, waardoor de prins dezelfde koninklijke status als zijn echtgenote zou krijgen en wezen ze ook haar verzoek af om hem in de Engelse adelstand te verheffen.

Daar komt hij: de bruidegom van Victoria's keuze, Uitverkoren door die vulgaire Lehzen; Hij komt 'in voor- en tegenspoed' en pakt Engelands rijke koningin en Engelands dikke portemonnee.

The German Bridegroom

Voor de uiterst gevoelige Albert voelde het krijgen van een gereduceerde toelage als een klap in het gezicht; hij vertelde oom Leopold dat hij 'geschokt en bitter teleurgesteld was door het gebrek aan respect' dat hem betoond was. Zelfs op afstand was hij zich terdege bewust van de vijandige ontvangst die hem te wachten stond, in een land dat nu al wist dat het niets van hem, een Duitser en een buitenlander, moest hebben. De pers hekelde hem al vanwege zijn Duitse accent en zijn stijve Teutoonse manier van doen. Hij zag zijn toekomst dus met gemengde gevoelens tegemoet. Opziend tegen het moeten achterlaten van zijn kleine en beschutte wereldje in Coburg schreef hij met enige bezorgdheid over wat er komen ging:

> *Met uitzondering van mijn relatie [met de koningin] zal mijn toekomst donkere kanten kennen en zal de hemel niet altijd blauw en onbewolkt zijn. Maar het leven heeft nu eenmaal doornen op allerlei plekken, en het besef dat men zijn krachten en inspanningen ingezet heeft voor zoiets groots als het bevorderen van het goede voor zovelen, zal zeker genoeg zijn om mij te steunen.*
>
> ~Brief van Albert aan zijn stiefmoeder, 5 november 1839

Vanuit Alberts gezichtspunt was een huwelijk met Victoria niet slechts een kwestie van liefde, maar ook van plicht, een missie om van nut te zijn, en iets waarbij een zekere zelfopoffering kwam kijken. Maar voor Victoria was de liefde echt alles.

> *Los van het feit dat hij mijn broer is, acht ik hem zeer hoog en houd ik meer van hem dan van wie ook op de wereld. U zult misschien glimlachen wanneer ik in dergelijke lovende bewoordingen over hem spreek! Maar dat doe ik om u nog bewuster te maken van wat hij u brengt! Vooralsnog bent u vooral ingenomen met zijn jeugdige en onbevangen manier van doen, zijn rust, zijn heldere geest – zo komt hij op het eerste gezicht ook over. Mensenkennis en ervaring – dat valt minder af te lezen van zijn gezicht; en waarom? Omdat hij puur is naar de wereld toe en naar zijn eigen geweten; niet dat hij geen zonde gekend heeft, geen aardse verleidingen, geen mannelijke zwakheden, nee, maar omdat hij wist en nog altijd weet hoe hij daartegen moet vechten, gesteund door de unieke volmaaktheid en sterkte van zijn karakter.*
>
> ~Brief van Ernst aan Victoria, 19 december 1839

DE HUISHOUDING VAN HARE MAJESTEIT

'Zorg dat mensen hun plek kennen en houd ze op afstand'

···· VICTORIA ····

ACHTER DE SCHERMEN van Buckingham Palace en Windsor Castle droeg een heel gevolg aan bedienden zorg voor het dagelijks leven en de gemakken van koningin Victoria. Met het merendeel van hen kwam ze zelden of nooit in aanraking. Terwijl de lords en lady's van de hofhouding zich *upstairs* streng aan het protocol hielden, heerste *downstairs* een vergelijkbare pikorde onder de grotendeels gezicht- en naamloze bedienden. Na haar troonsbestijging had Victoria vele lange gesprekken met lord M. over de omgang met haar personeel.

> *Spraken over de salarissen van de kamermeisjes en mijn persoonlijke assistenten; over de salarissen van de lords, de rijknechten en de secondanten; ik sprak met hem over allerlei dingen betreffende de heren, hofdames, enz.; zei dat het noodzakelijk was dat de mensen hun plek kenden en op afstand bleven; lord Melbourne luisterde zeer oprecht en geïnteresseerd en zei dat het absoluut noodzakelijk was om de mensen soms ook te vertellen wat ze niet graag hoorden; zei dat als dit meteen gedaan werd, ze niet nog een keer iets zouden proberen te doen wat niet toegestaan was; hij voegde eraan toe (nadat ik gezegd had dat het noodzakelijk was om de kamermeisjes op afstand te houden, iets wat gezien mijn jonge leeftijd misschien wat lastiger was). 'Ze beginnen met familiair doen en het eindigt er vaak mee dat ze een poging doen om de leiding over te nemen.' Hij sprak hier uiterst verstandig en redelijk over.*
>
> –VICTORIA'S DAGBOEK, 30 JANUARI 1838

Een wetswijziging op 23 december 1837 stelde de toelage voor het runnen van de koninklijke hofhouding op 385.000 pond per jaar – zo'n eenenveertig miljoen pond vandaag de dag. Maar de organisatie die de koningin erfde toen ze dat jaar naar Buckingham Palace verhuisde was verre van efficiënt. Ronduit verouderd zelfs en doordrenkt van wangedrag en politieke partijdigheid. De verschillende en duidelijk omschreven functies binnen de hofhouding van zo'n 445 mensen stonden onder toezicht van drie hofdignitarissen, allemaal mannen van adel, die drie volledig van elkaar gescheiden afdelingen leidden en wiens aanstellingen afhingen van welke regering er op dat moment was.

De *Lord Chamberlain* was de belangrijkste functie binnen de huishouding - een post die altijd door de zittende regering aan een aristocraat werd toegewezen. Hij ging over het huishoudelijke personeel dat bovengronds werkte en dat serveerde of dienst had tijdens ceremonies en officiële functies en over de ambachtslieden die het interieur van de paleizen onderhielden. De *Lord Steward* stond aan het hoofd van de honderden leden van de huishouding die beneden werkten in de keukens, de voorraadkamers, de bijkeukens, de bergruimtes en de washokken van het paleis. De *Master of the Horse* was verantwoordelijk voor het onderhoud van de rijtuigen van de koningin, instrueerde de koetsiers en organiseerde de stalling van en zorg voor de paarden; ook de koninklijke stalmeesters vielen onder zijn gezag. Het onderhoud van de koninklijke paleizen en het land eromheen behoorde tot weer een andere afdeling: het *Office of Woods and Forests.*

Daarnaast bestond er nog een groot aantal door de koningin persoonlijk aangewezen functionarissen voor professionele diensten die nog eens extra bijdroegen aan de enorme kostenpost van haar hofhouding: artsen, chirurgen en apothekers, maar ook beeldhouwers, schilders, kapelaans, fotografen, musici, tandartsen en zelfs een inwonende rattenvanger en schoorsteenveger. Bovendien werd er voor het eerst een nieuwe functie in het leven geroepen: die van persoonlijke kapper van de koningin. Ene monsieur Isidore Marchand werd tegen een salaris van vierhonderd pond per jaar aangesteld. Overigens werden zijn salaris en dat van haar twee kamenierssters en twee assistent-kameniersters – opgeteld 880 pond per jaar – door Victoria betaald uit haar persoonlijke toilettoelage van 6000 pond per jaar.

> MELBOURNE:
> Ik dacht dat de hertogin misschien een goede Mistress of the Robes zou zijn, mevrouw. De hertog zit, zoals u weet, in het kabinet.
>
> VICTORIA:
> Ze is heel elegant. Is ze ook fatsoenlijk?
>
> MELBOURNE:
> Zo fatsoenlijk als een voorname dame maar kan zijn, mevrouw.

De complexe rolverdeling binnen de koninklijke hofhouding, onder verschillende leidinggevenden, zorgde onvermijdelijk voor voortdurende en frustrerende misstanden; vaak was er te weinig toezicht op het personeel, zowel bovengronds als in het souterain. Gasten verdwaalden in de slecht verlichte gangen van Buckingham Palace, waar niemand aanwezig was om hen te helpen; en omdat er veel te veel personeel was hadden velen simpelweg niet genoeg te doen. Er heerste grote verveling. Regelmatig verdween er eten uit de koninklijke voorraadkamers; kaarsen in de verschillende vertrekken werden elke dag onnodig vervangen. Een van de bekende extraatjes voor het personeel, zoals in de televisieserie te zien is, was de handel in kaarsen. Een kaarsenwinkeltje in Piccadilly, tegenover St. James's Street, verkocht blijkbaar restjes kaarsen, met de mededeling dat het 'kaarsstompjes van Buckingham Palace' waren.

Bovengronds bestond de directe vrouwelijke entourage van de koningin – de hofdames (zoals de *Ladies of the Bedchamber* en de *Maids of Honour* samen genoemd werden wanneer ze dienst hadden) – uit drie rangen. De belangrijksten, de Ladies of the Bedchamber, waren altijd getrouwd en meestal met mannen van adel; ze verdienden jaarlijks vijfhonderd pond. Tweede in rang waren de acht *Women of the Bedchamber,* eveneens van adel of afkomstig uit zeer gerespecteerde families; en ten slotte had je de acht Maids of Honour, altijd ongetrouwde dochters of kleindochters uit adellijke families of familieleden van iemand die al eerder in dienst van de troon geweest was. Beide rangen verdienden driehonderd pond per jaar per persoon. En dan waren er natuurlijk nog de kameniersters en persoonlijke dienstmeisjes die de koningin hielpen en aan wie ze soms bijzonder gehecht raakte. Al deze vrouwen vervulden de rol van gezelschapsdame en velen werden onmisbaar voor de koninklijke familie.

Er had altijd één Lady of the Bedchamber dienst voor een periode van veertien dagen; dat gold ook voor de Women of the Bedchamber. De Maids of Honour werkten in tweetallen voor periodes van vier weken. Al deze dames aten 's avonds met de koningin aan tafel. De Mistress of the Robes was verantwoordelijk voor de samenstelling van de werkroosters voor het totale aantal van zesentwintig hofdames in dienst van de koningin.

DE HOFDAMES VAN DE KONINGIN, AANGESTELD IN JULI 1837

MISTRESS OF THE ROBES*:
Hertogin van Sutherland

PRINCIPAL LADY OF THE BEDCHAMBER:
Markiezin van Lansdowne

LADIES OF THE BEDCHAMBER:
Markiezin van Tavistock, gravin van Charlemont, gravin van Mulgrave, lady Portman, lady Lyttelton (die pas in 1838 bij de hofhouding kwam, omdat ze nog in de rouw was om haar echtgenoot), lady Barham, gravin van Durham

WOMEN OF THE BEDCHAMBER:
Lady Caroline Barrington, lady Harriet Clive, lady Charlotte Copley, burggravin Forbes, de hooggeboren mevrouw Brand, lady Gardner, de hooggeboren mevrouw G. Campbell

MAIDS OF HONOUR:
De hooggeboren Harriet Pitt, de hooggeboren Margaret Dillon, de hooggeboren Caroline Cocks, de hooggeboren miss Cavendish, de hooggeboren Matilda Paget (een nichtje van lord Alfred Paget), miss Murray, miss Harriet Lister, miss Spring Rice

RESIDENT WOMAN OF THE BEDCHAMBER:
Miss Mary Davys (dochter van de eerwaarde Davys, decaan van Chester, die op Kensington Palace Victoria's leraar geweest was)

*De Engelse functienamen zijn onvertaald gelaten, omdat een equivalent in de Nederlandse hofhouding niet bestaat. De enige functie die min of meer vergelijkbaar is, is de mistress of the robes, die in Nederland 'grootmeesteres' wordt genoemd: de vrouw die aan het hoofd staat van alle hofdames.

De Ladies of the Bedchamber en de Maids of Honour werden steevast uitgekozen door de premier van dat moment, uit families die hij goed kende en die politieke vrienden waren. Een gedragscode, kleding en houding van deze hogergeplaatste leden van de koninklijke hofhouding waren allemaal onderdeel van een complex rangensysteem waaraan men zich strikt diende te houden. De koningin had zeggenschap over veel van haar belangrijkste benoemingen, die meestal na persoonlijke aanbeveling en na zorgvuldige controle tot stand kwamen. Ze stond erop dat alle leden van haar hofhouding, van de hoogste tot de laagste rang, zich aan de plichten van hun functie hielden en wederzijds respect toonden.

Vooral de Maids of Honour speelden een belangrijke rol; de eersten die in 1837 aangesteld waren door koningin Victoria waren, net als zijzelf, nog heel jong, zo jong zelfs dat een geamuseerde lord Melbourne eens zei dat het wel een kinderopvang leek. De hertog van Cambridge was nog wat directer door een van de Maids of Honour hardop een 'verdomd mooie meid' te noemen. Maar ze mochten dan misschien jong, naïef en onervaren zijn, de Maids of Honour moesten hun meisjesachtige enthousiasme onderdrukken en zich keurig aan de regels houden. Fatsoen was het credo op Buckingham Palace, en Victoria stond erop dat geen enkele lady haar hof in diskrediet zou brengen – vandaar misschien ook haar extreme reactie tijdens de Lady Flora-affaire.

Ondanks alle regels en voorschriften en de eis dat ze zich bescheiden opstelden en kleedden en nooit ergens zonder begeleiding heen gingen, stonden de jonge meisjes van stand in de rij voor zo'n mooi baantje aan het hof. Eén zo'n meisje ontving, nadat ze de aanstelling bij de koningin gekregen had, advies van haar moeder over wat haar te wachten stond:

> *Je eerste en belangrijkste prioriteit moet altijd zijn om de koningin te behagen, niet door middel van valse vleierij of onderdanige hielenlikkerij, maar door de meest toegewijde aandacht bij zelfs de kleinste dingetjes; door de meest strikte punctualiteit en gehoorzaamheid; niet alleen op bevel, maar door altijd op het juiste tijdstip en op de juiste plek klaar te staan [...] je zult eraan moeten wennen om urenlang te zitten of te staan zonder enige vorm van afleiding, behalve je eigen gedachten [...] wat je ook ziet, hoort of denkt dien je altijd voor jezelf te houden.*
>
> – Brief aan Georgina Liddell Bloomfield van haar moeder, uit: *Reminiscences of Court and Diplomatic Life*, 1883

VICTORIA TEGEN MELBOURNE:

Wanneer ik hen, net als u, kwijtraak, dan heb ik niemand meer. Dan zal het weer net zo zijn als op Kensington, met mama en sir John. Peel begrijpt dit niet, maar u wel.

NELL HUDSON SPEELT
MISS SKERRETT

DE ECHTE MISS SKERRETT

- KONINKLIJK KAMENIERSTER -

'Een bewonderenswaardig iemand [...] zeer discreet en oprecht'

···· VICTORIA ····

De jonge miss Skerrett, assistent-kamenierster onder mevrouw Jenkins in de televisieserie en een fictief personage, dankt haar achternaam aan een vrouw die echt bestaan heeft, Marianne Skerrett, die vijfentwintig jaar lang kamenierster van koningin Victoria was. Daar houdt de overeenkomst dan ook op.

Marianne Skerrett was zo 'dun als een papiersnipper' en 'grappig alledaags' volgens een familielid, en ze was nog kleiner dan de koningin. Ze was geboren in 1793 als dochter van een officier die diende in de Spaanse Onafhankelijkheidsoorlog en een plantage in West-Indië bezat. Ze was goed opgeleid, sprak Deens, Duits en Frans en was ook extreem belezen – ze 'liep in het hele paleis boeken aan te raden'. Toen de koningin op de troon kwam in 1837, werd ze op aanbeveling van de markiezin van Lansdowne aangesteld als hoofdkamenierster en kreeg daarnaast ook de verantwoordelijkheid over de juwelen van de koningin.

Na verloop van tijd werd Marianne Skerrett een van de naaste medewerksters van de koningin en kreeg ze naast het organiseren van de garderobe van de koningin steeds meer persoonlijke en administratieve taken, waaronder het schrijven van brieven van koningin Victoria aan handelslieden, ontbieden van artiesten en graveerders, beantwoorden van bedelbrieven van oud-bedienden en het controleren en betalen van rekeningen betreffende het maken en onderhouden van de kleren van de koningin. Miss Skerrett werd ieders steun en toeverlaat, zozeer zelfs dat 'wanneer er iets fout gaat op Buckingham Palace of Windsor, of dat nu een monarch of een dienstmeisje betreft, miss Skerrett er altijd op afgestuurd wordt om het weer in orde te maken'.

Marianne Skerrett – of *The Queen's Miss Skerrett*, zoals iedereen haar noemde – ging in 1862 met pensioen, na vijfentwintig jaar trouwe dienst, maar bleef de koningin tot aan haar dood in 1887 bezoeken.

VICTORIA VERWACHTTE een hoog opleidingsniveau van haar Maids of Honour. Ze moesten in staat zijn om Frans en Duits te spreken, moesten kunnen lezen en schrijven en ook enige kennis van het Latijn hebben. Hun grammatica en uitspraak moesten 'onberispelijk' zijn, hun stemmen helder, hun handschrift sierlijk. Het was essentieel dat ze konden zingen en pianospelen en 'iets van spelletjes, tekenen en/of borduren afwisten'. Ze moesten opgewekt, bescheiden en gewillig zijn en geen lichtzinnig gedrag vertonen. De manier waarop ze zich kleedden moest hiermee in overeenstemming zijn, waarbij de koningin blijkbaar 'groot bezwaar had tegen vlotte jurken, grote hoeden en, vooral, slordig opgestoken kapsels.' Tijdens de eerste jaren van haar bewind verwachtte Victoria ook van een Maid of Honour dat ze een 'bekwame en dappere amazone' was, aangezien ze haar altijd moest begeleiden bij haar vaak extreem intensieve middagritten.

De hoogste Lady of the Bedchamber tijdens die eerste jaren van Victoria's bewind, lady Lyttelton, hield de Maids of Honour nauwkeurig in de gaten. Ze moesten haar voor de kleinste dingetjes om toestemming vragen en probeerden dan ook geregeld de vreselijk strenge regels te overtreden. Lady Lyttelton merkte eens op dat twee Maids of Honour vaak

> *[...] zeer vleierig en overtuigend tegen mij waren [...] 'Lady L, mag ik niet voor één keer alleen langs de oevers wandelen? Ik weet dat het tegen de regels is, maar wat kan het nu voor kwaad? Vroeger mochten we het ook, maar nu heeft lord Melbourne het ons verboden. Ik weet zeker dat we daar nog nooit iemand tegengekomen zijn.'*
>
> ~BRIEF VAN LADY LYTTELTON AAN HAAR ZUS, OKTOBER 1838

Heel wat leden van de hofhouding maakten liever een stevige wandeling dan dat ze bibberend van de kou in hun kamers zaten, die op last van de koningin slecht verwarmd werden, hoewel anderen het pure feit dat ze aan het hof omringd werden door 'iedereen die er in Londen toe doet' al geweldig genoeg vonden, evenals bediend te worden door lakeien in hun karmijnrode livreien. 'O, wat is het hier toch anders dan waar ik vandaan kom!' schreef Mary Davys aan haar familie. 'We hebben heel veel plezier, zelfs aan het hof. Ik kan jullie onmogelijk alle kleine grapjes vertellen, waaraan zelfs de koningin meedoet.' 's Avonds, na het diner met de koningin, mochten de hofdames zich terugtrekken in hun eigen vertrekken, maar vaak werd hun ook gevraagd om nog te komen lezen, zingen, piano te spelen en mee te doen met kaartspelletjes in haar salon, totdat ze naar bed ging.

MARGARET CLUNIE SPEELT
DE HERTOGIN VAN SUTHERLAND

HERTOGIN VAN SUTHERLAND

- MISTRESS OF THE ROBES -

'Allerliefste, vriendelijkste, trouwste vriendin'

···· VICTORIA ····

HARRIET LEVESON-GOWER was geboren in 1806, als telg uit een van de belangrijkste whig-families van Groot-Brittannië. Haar vader was George Howard, 6e graaf van Carlisle. Evenals haar grootmoeder, Georgiana, hertogin van Devonshire, was de hertogin van Sutherland een van de meest bewonderde vrouwen van haar tijd. Vier keer bekleedde ze de allerhoogste functie binnen de hofdames als Mistress of the Robes.

Over de hertogin werd altijd gezegd dat ze gedistingeerd was, zowel in uiterlijk als in gedrag. Ze noemden haar de 'Great Duchess', omdat ze liep 'als een godin' en 'eruitzag als een koningin'. In 1823 trouwde ze met de rijke en vooraanstaande George Granville Leveson-Gower, die in 1833 de titel hertog van Sutherland erfde, en veertig jaar lang genoot ze hoog aanzien binnen de Londense high society. Maar ze was niet alleen mooi, ze was ook een behoorlijk intelligente en geestige vrouw, een befaamd filantroop en aanhanger van de antislavernijbeweging.

Victoria had de hertogin altijd al bewonderd en vond haar 'zo knap'. Maar het ontging de koningin niet hoe goed de hertogin met lord Melbourne bevriend was, zo goed zelfs, dat het Victoria een beetje jaloers maakte. De hertogin zat tijdens het diner altijd naast hem, klaagde Victoria in haar dagboek, en 'maakte het hem bijna onmogelijk om ook nog met iemand anders te praten' – met haar, dus.

Mistress of the Robes was een eervolle positie en eigenlijk een politieke aanstelling, corresponderend met de whig- of tory-loyaliteit van de echtgenoot van een hertogin, een functie dus die bij elke nieuwe regering opnieuw ingevuld werd. Ze was verantwoordelijk voor alle ceremoniële gewaden van de koningin en begeleidde haar bij speciale gelegenheden als uitjes naar het theater, bals, officiële ontvangsten en alle staatsaangelegenheden – in het bijzonder de kroning en Victoria's huwelijk met prins Albert.

De hechte vriendschap tussen Victoria en de hertogin was de reden voor haar weigering de hertogin te ontslaan tijdens de Bedchamber Crisis van 1839. Maar ten slotte kon de koningin niet anders dan capituleren en werd de hertogin gedwongen haar post op te geven, om er in 1845 weer op terug te keren.

MEVROUW JENKINS:
O, de koningin draagt geen verstelde handschoenen, elke keer dat ze uitgaat, pakt ze een nieuw paar. Dat is vijf shilling voor elke keer dat ze haar vingers strekt.

EEN VAN DE BELANGRIJKSTE bedienden binnen de hofhouding van koningin Victoria was de kamenierster, omdat die altijd in haar nabijheid was. De kameniersters waren meestal afkomstig uit adellijke families en werden behandeld als hoger personeel. Ze hadden hun eigen slaap- en zitkamer. De kameniersters vervulden de rol die in eerdere eeuwen toebehoord had aan de hofdames, vandaar ook dat ze persoonlijk uitgekozen of aanbevolen moesten zijn. Twee van hen stonden altijd ter beschikking van de koningin en werkten samen met twee garderobedienstmeisjes. Allemaal waren ze ongetrouwd.

Werken in de privévertrekken van Victoria betekende lange dagen en de meisjes hadden vaak te kampen met gezondheidsproblemen als gevolg van het inspannende werk. Ze waren namelijk niet alleen verantwoordelijk voor de hele garderobe van de koningin, voor haar schoenen en haar hoeden, maar ook voor de aankoop van nieuwe stukken en het repareren en vermaken van de kleding. Ze vielen onder de verantwoordelijkheid van de Mistress of the Robes en overlegden met haar over de kleding voor staatsceremonies. Als vertrouwelijke bedienden waren ze tijdens hun werk in de directe nabijheid van de koningin in haar privévertrekken – haar salon, slaap- en kleedkamer. Hierdoor had de kamenier een behoorlijke vertrouwenspositie met veel verantwoordelijkheid.

De garderobedienstmeisjes werden geacht met de kameniersters samen te werken en goed te kunnen naaien, verstellen en kappen; ze dienden te weten hoe ze kleding moesten wassen en repareren, veren moesten schoonmaken, kant moesten wassen, vet en andere vlekken moesten verwijderen, beddengoed uit moesten zoeken en naar de wasserij sturen; ze moesten de kleedkamer van de koningin netjes houden, inclusief haar kaptafel en beddengoed, en zorgdragen voor haar juwelen. Alles wat de koningin uittrok of afdeed moest gecontroleerd en, indien nodig, gerepareerd of versteld worden, hetzij door de kamenierster, hetzij door een van de garderobedienstmeisjes. Hoeden, handschoenen, kapjes en mantels moesten allemaal geïnspecteerd worden voordat Victoria ze opzette of aantrok.

JORDAN WALKER SPEELT
LORD ALFRED PAGET

LORD ALFRED PAGET

- VICTORIA'S ADJUDANT -

'Bijzonder knap in zijn uniform van de Blues'

···· VICTORIA ····

Hoewel er nooit openlijk over werd gesproken, was het voor velen aan het Britse hof in de jaren '30 duidelijk dat de adjudant van koningin Victoria, lord Alfred Paget, enorm toegewijd was aan zijn koningin. En ook het feit dat de koningin bijzonder dol was op de knappe lord Alfred bleef niet onopgemerkt. Tijdens een inspectie van de troepen in september 1837 merkte Victoria op dat hij er 'bijzonder knap uitzag in zijn uniform van de *Blues*'. Maar een huwelijk met een burger behoorde niet tot de mogelijkheden van de koningin van Engeland en Victoria zelf verzekerde lord M. dat 'het niet aan de orde was' dat zij een onderdaan zou huwen.

Lord Alfred was geboren in 1816, als zoon van veldmaarschalk Henry William Paget, een cavaleriecommandant tijdens Waterloo. De Pagets waren een vooraanstaande familie, die tijdens de eerste jaren van Victoria's bewind behoorlijk wat macht hadden binnen het hof. De 2e markies van Conyngham, die de functie van Lord Chamberlain bekleedde, was getrouwd met een Paget en werd in 1839 opgevolgd door lord Alfreds vader, inmiddels markies van Anglesey. Beide mannen wisten tijdens hun dienstverband officiële betrekkingen voor hun minnaressen te regelen, zodat ze hun affaires voort konden zetten. Daarnaast dienden twee van lord Alfreds vrouwelijke familieleden als Maids of Honour en vervulden diverse Paget-neven verschillende andere functies.

De Pagets waren zo alomtegenwoordig op Buckingham Palace dat de pers hen aanduidde als *The Paget House Club,* en na Melbourne was lord Alfred zeker de tweede favoriet van Victoria. Maar hij was ook een lieveling van barones Lehzen – ze noemde hem 'zoon' en hij noemde haar 'moeder' – en die twee waren Victoria's hechtste bondgenoten.

Hoezeer lord Alfred toegewijd was aan de koningin werd duidelijk toen hij in januari 1839 zijn hond mee naar het hof nam. Het was een 'mooie grote zwarte hond [...] genaamd Diver, die soms ook "Mrs Bumps" genoemd wordt', schreef Victoria in haar dagboek. 'Ze is een lief, aanhankelijk en zachtaardig beestje en leek mij zeer te mogen.' Om haar nek droeg Mrs Bumps een medaillon met daarin een miniatuur van de koningin, net zoals lord Alfred.

Hoewel prins Albert de losbandigheid van de Paget-clan maar niks vond en er later ook op stond dat ze van het hof verwijderd werden, bleef lord Alfred in dienst en werd hij zelfs kapitein in *Prince Albert's Own Hussars,* een cavalerieregiment dat al sinds 1715 bestond, en in 1840 Alberts naam kreeg. Maar over het verdriet dat het lord Alfred deed om zijn geliefde koningin te zien trouwen kwam hij nooit helemaal heen.

22 april 1838

Sprak met lord Melbourne over de aanvaring die Lehzen had met enkele van mijn mensen [bedienden], die zich nogal wat vrijheden veroorloofd en vreemdelingen binnengelaten hadden; over hoe graag bedienden dingen achter mijn rug om doen; over dat ik nogal streng ben; waarop lord Melbourne zei dat het 'de enige manier is'. Hierover spraken we enige tijd en lord Melbourne was overal zo verstandig over; hij zei dat de regel waaraan men zich uiteraard heeft te houden, namelijk bij toerbeurt dienen, geen goede invloed op mijn bedienden had; 'het is slecht voor bedienden wanneer ze niets te doen hebben,' zei hij.

Ik sprak over Chevassut [een van de jonge kamenierssters van de koningin], over haar onbezonnenheid, en ik prees Jane en Anne; we waren het zo eens over deze dingen; lord Melbourne zei: 'Niemand, in welke hoedanigheid ook, doet uit zichzelf wat hij moet doen, tenzij hij ertoe verplicht wordt; wat heel waar is'; hij zei dat mensen gedwongen zouden moeten worden om te werken en dat dat goed voor hen was.

Victoria's dagboek, 22 april 1838

UITERAARD WAREN ER OOK overeenkomstige mannelijke bedienden aan het hof, op wier diensten de koningin een beroep kon doen: kamerheren (die op gelijk niveau stonden met de hofdames), bewakers, adjudanten, lakeien en pages, plus nog aanvullend bedienend personeel voor staatsaangelegenheden en hofceremonies en het talrijke militaire personeel dat bij de koninklijke paleizen hoorde. Twee kamerheren dienden in een roulatiesysteem van steeds veertien dagen en een adjudant diende achtentwintig dagen; alle drie dineerden ze bij de koningin aan tafel.

De lakeien ontvingen een speciale toelage voor 'haarpoeder, tas en zijden kousen' en kregen twee keer per jaar een nieuwe livrei. Zij dienden zich om de gasten te bekommeren, hen naar hun kamers te begeleiden en in hun behoeftes te voorzien, maar ze fungeerden ook als kamerbediende voor gasten die hun eigen kamerdienaar niet bij zich hadden. Ze decanteerden wijn en hielpen ook mee met het opdienen van maaltijden. Er waren zestien pages, onderverdeeld in verschillende rangen: zes *Pages of the Backstairs,* acht *Pages of the Presence* en twee *State Pages.* De Pages of the Backstairs dienden enkel de koningin; één stond er altijd voor haar privévertrekken, van acht uur 's ochtends totdat ze 's avonds naar bed ging; deze page diende tevens als persoonlijke boodschapper en vergezelde de koningin tijdens de meeste maaltijden.

De koningin hield vast aan een strikte hiërarchie wat betreft de plek aan tafel van haar bedienden. De kamerheren en hofdames dineerden samen met haar; andere leden van de koninklijke hofhouding met een titel hadden hun eigen eetkamer; hogere bedienden, onder wie de kameniersters van de koningin, aten in de kamer van de hofmeester, samen met de butlers, pages, boodschappers, huishoudsters en dienstmeisjes van de privévertrekken. Lagere bedienden aten in de personeelseetkamer. Ook hechtte Victoria veel belang aan de tafelschikking van haar hogere bedienden, waarbij ze erop stond dat degene die nog maar net bevorderd waren 'geen voorrang kregen op de vertrouwelijke bedienden die haar altijd persoonlijk verzorgden'.

Zo liep de machinerie van de koninklijke hofhouding vierentwintig uur per dag op rolletjes, zonder dat de koningin erg had in de inspanningen van zo veel mensen ten behoeve van haar welzijn. De rol van de meeste leden van de koninklijke hofhouding was grotendeels anoniem en op de achtergrond. Om die reden zijn ook zo weinig van hun namen bij ons bekend, ondanks de vele jaren dat zij in dienst waren. Hoewel het paleis erop stond dat geen enkele lord of lady in dienst van de koningin een dagboek van hun diensttijd bijhield of privédetails over de koninklijke familie naar buiten bracht, gold die regel strikt genomen niet voor brieven aan hun vrienden en familieleden. Toch drukte een hofdame haar broer eens op het hart: 'Laat mijn brieven aan niemand zien, behalve aan mama… de discretie hier is extreem.' Het is dankzij dergelijke brieven vanaf het hof, en een enkel dagboek dat tegen de regels in toch bijgehouden werd, dat een dergelijk levendig portret van het leven met koningin Victoria geschetst kon worden.

PENGE:
Zijn er ook getrouwde bedienden in de koninklijke hofhouding?

SKERRETT:
Mevrouw Jenkins misschien?

JENKINS:
Wat moet ik met een man? Elke idioot kan trouwen, maar ik ben hoofdkamenierster van de koningin van Engeland. Wanneer jij hier vijfentwintig jaar gewerkt hebt, gaan ze jou ook mevrouw Skerrett noemen.

FERDINAND KINGSLEY SPEELT
CHARLES FRANCATELLI

MENEER FRANCATELLI

- CHEF-KOK EN MAÎTRE D'HÔTEL -

'Het gehemelte kan bijna net zo gecultiveerd worden als het oog en het oor en is wat dat betreft dan ook bijna evenveel waard'

.... CHARLES ELMÉ FRANCATELLI ....

DE CHEF-KOK van de koningin in de televisieserie is meneer Francatelli, een personage gebaseerd op de echte Engels-Italiaanse kok die een jaar of twee als chef-kok en maître d'hôtel in dienst was van de koningin.

Charles Elmé Francatelli was een van de eerste beroemde koks van het victoriaanse tijdperk. Hij was geboren in 1805, als kind van Italiaanse immigranten, en groeide op in Frankrijk, waar hij aan de koksschool in Parijs studeerde en ervaring opdeed bij de legendarische Franse kok Marie-Antoine Carême, door velen erkend als de grondlegger van de Franse klassieke keuken.

In Groot-Brittannië kwam Francatelli terecht in de keukens van de adel – zo werkte hij voor de graaf van Chesterfield, de graaf van Dudley en lord Kinnaird. In 1839 nam hij in Londen een baan aan als manager van de *Crockford's Club* en ergens in 1841 werd hij aangenomen op Buckingham Palace om te koken voor de koningin. Hier was hij echter niet gelukkig: de werkomstandigheden en het loon waren slecht in vergelijking met wat hij in de exclusieve Londense clubs kon vragen, en de keukens van Buckingham Palace waren destijds dringend toe aan renovatie. Ook is het goed mogelijk dat de voorkeur van de koningin en prins Albert voor eenvoudige Engelse kost hem ontmoedigde in zijn ambities. En er werd gefluisterd dat de heetgebakerde Francatelli ontslagen was omdat hij een keukenmeid geslagen zou hebben. Niet lang daarna begon hij in de *Coventry House Club* aan Piccadilly en in de jaren '50 werd hij chef-kok bij de *Reform Club,* waar hij een andere beroemde Franse kok, Alexis Soyer, opvolgde.

In 1846 publiceerde Francatelli *The Modern Cook: A Practical Guide to the Culinary Art,* dat verkocht werd onder de subtitel *Recipes by Queen Victoria's Chef.* Het boek beleefde negenentwintig herdrukken. Hoewel er heerlijke recepten in stonden voor overdadige menu's van acht of negen gangen die hij tijdens speciale gelegenheden op Buckingham Palace geserveerd had, was Francatelli eigenlijk een voorstander van het veel eenvoudiger tweegangenmenu, iets waar hij in zijn latere kookboeken dan ook een lans voor brak. Ook bracht hij het *Plain Cookery Book for the Working Class* uit, vol gezonde, goedkope recepten voor arme families. Hij schijnt weleens gezegd te hebben dat hij 'duizend gezinnen per dag kon voeden van het eten dat alleen al in Londen werd weggegooid'.

BRODIE:

Biefstuk en oesters! Zoiets heb ik nog nooit gehad. Brood en restjes, als ik geluk had.

FRANCATELLI:

Dat is waarom ik ooit nog eens een boek over mijn kunst ga schrijven, zodat, als mensen kunnen lezen, ze ook kunnen koken.

BRODIE:

Denk niet dat meneer Penge dat zal waarderen.

Links: Victoria's en Alberts voorliefde voor eenvoudig eten: blanc-manger, kerstpudding, etagère met fruit en vruchtengelei. Rechterpagina, bovenaan: *'Her Majesty's Dinner'*, een menu voor koningin Victoria van Francatelli, de koninklijke chef-kok. Rechterpagina, onderaan: Een pagina uit Francatelli's kookboek.

Her Majesty's Dinner. 10*th August.*

(Under the control of C. Francatelli.)

Potages:

À la Cressy. A la Tortuë. À la Royale.

Poissons:

Le St. Pierre à la sauce Homard.
Les Gougeons frits sauce Hollandaise.
Les Filets de Soles à la ravigotte.
Le Saumon sauce aux Câpres.

Relevés:

La Pièce de Bœuf à la Flamande.
Le Pâté-chaud de Pigeons à l'Anglaise.
Les Poulardes et Langue aux Choux fleurs.
La Noix de Veau en Bédeau.

Entrées:

Les Côtelettes de Mouton à la purée d'Artichauts.
Les Boudins de Lapereaux à la Richelieu.
Les Pieds d'Agneau en Canelons farcis à l'Italiènne.
Les Filets de Poulardes à la Régence.
Les Tendons de Veau glacés à la Macédoine.
Les Petites Timbales de Nouilles à la purée de Gélinott

See page 274.
GROUPS OF FRUIT.
Frontispiece.
THE
ROYAL CONFE
ENGLISH AND
A PRACTICAL TREATI
OF CONFE
IN ALL ITS
COMPI
ORNAMENTAL CONFECTIONAR
CHARLES ELM
LATE MAÎTRE-D'HÔTEL TO HER MAJESTY
"THE COOK'S GUIDE," AND,

DE HOFCULTUUR ONDER KONINGIN VICTORIA

POSTAGE
ONE PENNY
POSTAGE
RD
ADDRESS

'Mijn hand werd bijna 3000 keer gekust'

···· VICTORIA ····

Bij haar troonsbestijging erfde Victoria een systeem van hofetiquette en ceremonieel dat nog afkomstig was van de Hannoveriaanse koningen, hoewel veel edelen het hof vermeden hadden tijdens het bewind van Victoria's geruchtmakende oom, George IV. Het leven aan het hof was pas weer een beetje op gang gekomen onder invloed van koningin Adelaide, echtgenote van zijn opvolger, William IV. Met Victoria als koningin kreeg het Britse hof de kans om weer op te leven en zich te hervinden. En Victoria zelf - jong, levendig en sociabel als ze was - genoot na jaren van isolatie van gezelschap, dansen, uitgaan naar het theater en de opera, dineren en gesprekken na het eten.

Tijdens de eerste drie jaar van haar bewind zorgde ze er dan ook voor dat ze zichzelf omringde met mensen die ze leuk vond. Iets waar oom Leopold bezwaar tegen had:

> *Spraken over oom Leopolds afkeur van alle jonge mensen aan het hof; wat echt mal is; 'volgens hem zijn oudere mensen betrouwbaarder,' zei lord M., waarop ik zei dat dat vaak niet bepaald het geval is.*
>
> –Victoria's dagboek, 9 oktober 1839

Victoria genoot van het gevoel van zelfbeschikking dat het koningin-zijn haar gaf. Voor iemand die zo jong en onervaren was, gedroeg ze zich al behoorlijk zelfverzekerd, zoals dagboekschrijver Charles Greville opmerkte: 'Bij alle dagelijkse dingetjes die te maken hebben met het hof en het paleis gedraagt ze zich al helemaal als koningin en meesteres, alsof ze nooit anders gewend is.'

TIJDENS DIE EERSTE WEERBARSTIGE maanden van haar bewind hield Victoria regelmatig grote diners op Buckingham Palace, waarna er vaak tot diep in de nacht gedanst werd. Toen haar arts opperde dat het misschien allemaal een beetje te veel van het goede voor haar was, antwoordde Victoria dat ze nooit genoeg vermaak kon hebben. Het was duidelijk dat ze de verloren tijd probeerde in te halen:

> *Ik ben met zoveel liefde, zoveel respect ontvangen en elk koninklijk besluit is me zo gemakkelijk gemaakt, dat ik het gewicht van de kroon tot nu toe nog niet gevoeld heb [...] In een klein gezelschap zou ikzelf moeite moeten doen om mijn gasten te vermaken, maar in grote gezelschappen zijn zij het die mij moeten vermaken, en maak ik persoonlijk kennis met iedereen met wie ik nauw ga samenwerken.*
>
> ~VICTORIA, GECITEERD IN *THE EARLY COURT OF QUEEN VICTORIA*, VAN CLARE JERROLD

Privéfeestjes op Buckingham Palace waren één ding; formele festiviteiten aan het hof waren van een andere orde. Mochten leden van de hofhouding gehoopt hebben op enige ontspanning en minder ceremonieel nu Victoria koningin was, dan kwamen ze bedrogen uit. Ze was niet progressief, maar juist een voorstander van dezelfde oude stoffige protocollen die al meer dan honderd jaar golden. Alles draaide om formaliteit, zoals een handboek uit die tijd beschreef:

> *Sinds Victoria de troon bestegen heeft, neemt het Britse hof het naleven van het protocol nog serieuzer dan daarvoor. Ondanks haar jeugdige leeftijd hecht de koningin grote waarde aan de hofetiquette. Geen enkele regel wordt door haar overtreden en iedereen die op audiëntie komt houdt zich streng aan de koninklijke etiquette.*
>
> ~*UIT: THE ETIQUETTE OF FASHIONABLE LIFE*

HET GROOTSTE DEEL VAN de belangrijke hofceremonies vond plaats tijdens het Londense seizoen, dat liep van mei tot juli. De twee belangrijkste sociale evenementen op de hofkalender, afgezien van grote staatsaangelegenheden als de *Opening of Parliament,* waren de *Levées* en *Drawing Rooms* die geregeld gehouden werden op St. James's Palace, waarbij enkele gelukkigen de mogelijkheid kregen om aan de koningin voorgesteld te worden. De uitgekozen data werden in de kranten vermeld en om een uitnodiging werd altijd gevochten.

Een ander typisch handboek uit die tijd was de *Court Etiquette: A Guide to Intercourse with Royal or Titled Persons, to Drawing Rooms, Levées, Courts and Audiences, The Usage of Social Life, The Formal Modes of Addressing Letters, Memorial and Petitions, The Rules of Precedence, written by 'A Man of the World'.* Dit en de *London Gazette* legden uit wat de regels waren en aan welke voorwaarden iemand moest voldoen die aan het hof wilde werken. Mensen van adel, hun echtgenotes en dochters stonden uiteraard boven aan de lijst, gevolgd door geestelijken, marinepersoneel, militairen, artsen, juristen en grootgrondbezitters:

> *.... tenzij er groot moreel bezwaar is, in welk geval, gezien het feit dat de goede en deugdzame koningin er altijd naar gestreefd heeft om een hoge moraal binnen het hof te waarborgen, de ondeugdelijke partijen onverbiddelijk uitgesloten worden.*
>
> ~ UIT: COURT ETIQUETTE: A GUIDE TO INTERCOURSE WITH ROYAL OR TITLED PERSONS

Wat uitsluiting op basis van morele redenen betrof waren de regels streng – gescheiden mensen werden niet toegelaten aan het hof, net zomin als niet-adellijke echtgenotes van adellijke personen. Deze laatste regel hield in dat een oom van de koningin, de graaf van Sussex – wiens eerste en tweede echtgenote, tegen de regels van de *Royal Marriages Act* in, van lagere komaf waren – geen van beiden mee naar het hof mocht nemen. In april 1840 was Victoria echter zo barmhartig om de tweede echtgenote van de hertog, Cecilia, de titel hertogin van Inverness te verlenen, waardoor ook zij voortaan welkom was aan het hof. Wat de andere, lagergeplaatste maar hoopvolle onderdanen betrof die hun koningin graag wilden ontmoeten, waren de regels duidelijk:

> *Voor hen met meer democratische beroepen, zoals advocaten, kooplieden en mecaniciens, geldt dat ze dat recht niet hebben, hoewel rijkdom en de juiste connecties de laatste tijd voor een opening in de hekken van St. James's gezorgd lijken te hebben.*
>
> ~ UIT: COURT ETIQUETTE: A GUIDE TO INTERCOURSE WITH ROYAL OR TITLED PERSONS

PENGE:

Het Windsor-uniform, Uwe Hoogheid, is nog ontworpen door George III voor leden van de hofhouding.

ERNST:

Ik vraag me af of koning George het ontwierp vóórdat hij gek werd of daarna.

De Levées, om twee uur 's middags door koningin Victoria gehouden in de staatsappartementen van St. James's, waren een pure mannenaangelegenheid, waarbij edelen de kans kregen om haar eer te bewijzen en iedereen in hun gelederen die onlangs getrouwd was, een nieuwe betrekking gekregen had of gepromoveerd was formeel gepresenteerd kon worden. Ook bij bezoekende hooggeplaatste personen uit het buitenland waren deze bijeenkomsten populair. Zij die voor het eerst aan de koningin voorgesteld werden moesten geïntroduceerd worden door iemand van het hof; bij buitenlandse prominenten was dat iemand van de betreffende ambassade.

De dresscode voor de heren die een Levée bijwoonden was aan het eind van de achttiende eeuw vastgesteld en daaraan was sindsdien niets veranderd. Anders dan de dames bij de Drawing Rooms, mochten heren niet in de laatste mode verschijnen. Militairen en militiepersoneel dienden hun groot tenue te dragen, maar zij die dit niet bezaten moesten een donkerrode pandjesjas dragen, met een kniebroek, een geborduurd vest van wit of crèmekleurige zijde, een kanten overhemd met ruches en lange witte zijden kousen. Daarbij dienden ze ook nog een zwaard bij zich te dragen en een steek met randen die met gouddraad zijn afgezet.

Een van koningin Victoria's eerste belangrijke Levées werd al snel na haar troonsbestijging gehouden, zoals ze opgewonden in haar dagboek schreef:

De Levée begon meteen om ¼ over 2 en duurde tot ½ 5, zonder ook maar één minuut onderbreking. Mijn hand werd bijna 3000 keer gekust!

~Victoria's dagboek, 19 juli 1837

Een andere drukbezochte Levée vond plaats op 21 maart 1838. Iedereen die maar iets te betekenen had wilde er natuurlijk bij zijn, zoals de pers vermeldde:

De opkomst was bijna ongeëvenaard – ongeveer tweeduizend mensen. De drukte in de gangen was vergelijkbaar met wat men soms ervaart bij de ingang naar de zaal van een populair Londens theater. De waardigheid ging in deze buitengewone drukte hier en daar verloren toen bijvoorbeeld de pruik van een heer werd afgestoten en lachend over en weer gegooid werd, voordat hij weer werd teruggegeven aan de in verlegenheid gebrachte eigenaar.

~Uit: *The First Year of a Silken Reign, 1837-38,* van Andrew W. Tuer en Charles E. Fagan, 1839

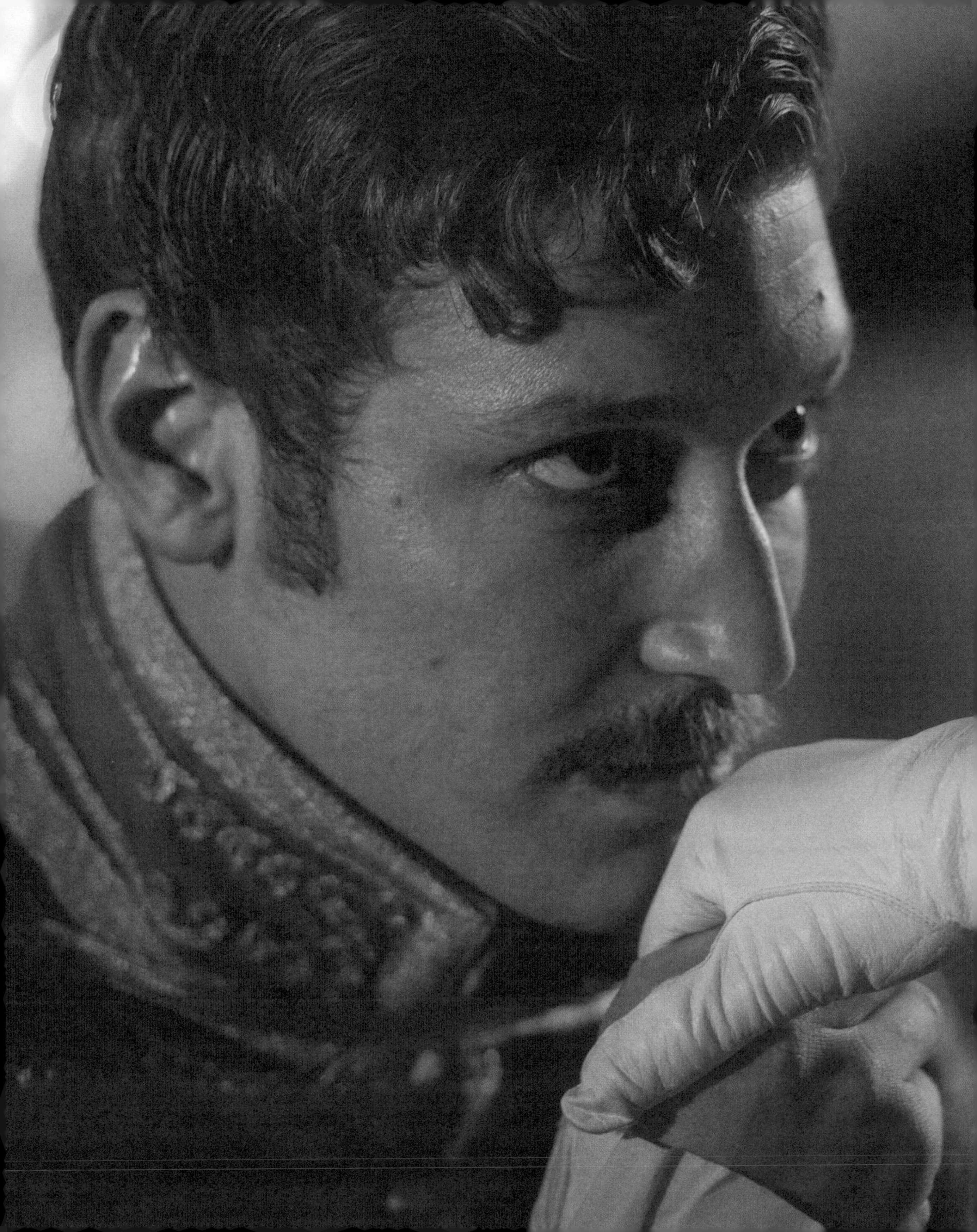

VICTORIA BRACHT HET ER ALLEMAAL goed vanaf, hoewel ze zich wel even terug moest trekken, 'om mijn hoofd wat rust te gunnen, omdat mijn diadeem (dat lord Melbourne "heel mooi" vond) zo vreselijk veel pijn deed'. Tijdens de daaropvolgende anderhalf uur moest ze onwillekeurig toch wel wat lachen om het extreme gedrag van sommige van haar onderdanen. 'De mensen zijn heerlijk ongemakkelijk wanneer ze gepresenteerd worden en weten nooit goed wat ze moeten doen of hoe ze moeten knielen.'

Dergelijk ongemakkelijk voorkomen is niet verwonderlijk wanneer je bedenkt aan welke onzinnig strenge regels de heren zich dienden te houden, zoals in de handboeken voor hofetiquette beschreven werd. De handeling, zo werd gezegd, 'moest genadigheid en verering uitbeelden' en zeer eerbiedig zijn.

MELBOURNE:
U heeft oog voor uniformen, mevrouw.

VICTORIA:
Ik ben tenslotte een soldatendochter.

> *Hij moet op zijn linkerknie knielen, zijn rechterarm heffen, met de blote handrug naar boven, waarop dan de palm van Hare Majesteits rechterhand gelegd wordt; vervolgens raakt hij met zijn lippen heel licht de rug van die koninklijke hand aan, die geen handschoen draagt. Mocht hij bijzonder belachelijk en vulgair willen zijn, dan kust hij de hand luid smakkend, en mocht hij juist zeer timide of bevreesd zijn, dan buigt hij zich enkel over de hand, zonder die daarbij met zijn lippen aan te raken.*
>
> – UIT: *COURT ETIQUETTE: A GUIDE TO INTERCOURSE WITH ROYAL OR TITLED PERSONS*

Nadat de heer de hand van zijn koningin met hopelijk enkel de lichtste beweging van zijn lippen aangeraakt had, diende hij zich achteruitlopend weer te verwijderen, waarbij hij 'zijn ogen nog steeds op de koningin gericht hield'.

Tijdens de Drawing Rooms – die enkel gehouden werden door koninginnen of de echtgenotes van koningen – werd modebewuste dames de kans geboden om, bijna letterlijk, te stralen. Want, zoals *The Book of Fashionable Life* schreef, los van de prachtige jurken, de schitterende struisvogelveren en kanten hoofdsluiers, was het de 'felle gloed van diamanten, die traditioneel kenmerkende juwelen van rang en schoonheid, die de aandacht trok'.

De vaste kledingvoorschriften waren een stuk minder strikt dan die voor de mannen, met één uitzondering: hofetiquette schreef voor dat dames 'geen hoeden met veren, of tulbanden met veren mochten dragen, maar enkel veren en kanten mutsjes, overeenkomstig de regels'.

Gewone vogelveren waren niet goed genoeg: de enig toegestane veren waren de lange en prijzige witte struisvogelveren, die traditioneel al sinds de 18de eeuw gedragen werden en nog steeds modieus waren, in combinatie met kanten mutsjes en een lange en onhandige sleep vanaf het middel. Jonge dochters van adel die voor het eerst gepresenteerd werden droegen vaak wit, een kleur waaraan tijdens het hele bewind van de koningin de voorkeur gegeven werd.

De eerste Drawing Rooms waren geïntroduceerd tijdens het bewind van George II, toen ze in wezen een mogelijkheid waren voor zijn echtgenote, koningin Caroline, om met andere dames samen te kunnen kaarten en roddelen. George III had ze één keer per week gehouden, maar tijdens het bewind van zijn zoon was daar behoorlijk de klad in gekomen. Pas toen William IV op de troon kwam werden ze weer in ere hersteld en gehouden door zijn echtgenote, koningin Adelaide. Hoewel ook mannen aan de Drawing Rooms konden deelnemen, waren het alleen de dames en hun dochters die gepresenteerd werden.

Rechts: Leven aan Victoria's hof: een Drawing Room in St. James's Palace

HAAR EERSTE DRAWING ROOM hield Victoria op 20 juli 1837, nog diep in de rouw om haar oom de koning, hoewel de kwaliteit van haar 'zwarte crêpe jurk, rijkelijk versierd met zwart borduursel over zwarte zijde; een sluier van zwarte crêpe over zwarte zijde, smaakvol versierd met zwarte bloemen' niet onopgemerkt bleef door *Blackwood's Lady's Magazine.*

Haar eerste echte kans om te genieten van alle pracht en praal die bij de gelegenheid hoorde kwam tijdens de Drawing Room ter ere van haar verjaardag op 24 mei van het daaropvolgende jaar: dé Drawing Room van het seizoen. Een dag eerder had er een aankondiging gestaan in *The London Gazette:* 'Het is de uitdrukkelijke wens van de koningin dat alle dames die Hare Majesteits Drawing Room bijwonen een japon van Britse makelij dragen.' De verslaggever van *The Morning Chronicle* zag geen detail van die dag over het hoofd:

> *De koningin, wier kleine en delicate voeten alom bewonderd worden, verscheen bij de verjaardags-Drawing Room in prachtig bestikte satijnen muiltjes, die zo klein waren, dat geen van de andere aanwezige dames erin gepast zou hebben.*
>
> – THE MORNING CHRONICLE, 25 MEI 1837

Victoria zelf woonde de Drawing Rooms niet bij in staatsierobes maar meestal in een rode japon met het insigne en het grootlint van de Orde van de Kousenband over haar linkerschouder en een armband met het motto van de orde om haar linkerarm, met op haar hoofd een diamanten tiara. Ze ontving haar gasten staand, waarbij de dames voor haar knielden nadat hun naam omgeroepen was. 'Vanaf hier wordt het tafereel bijzonder interessant,' aldus *The Book of Fashionable Life:*

> *Wat kijken velen zenuwachtig, terwijl ze zich langzaam in de rij naar voren bewegen! Naarmate het moment van presentatie nadert wordt het steeds stiller; de dames maken zich klaar om hun sleep los te laten; de hoofdsluiers worden nog even geschikt; de visitekaartjes tevoorschijn gehaald; harten gaan steeds sneller slaan; de mooie debutante met bevallige bedeesdheid schroomt even; er is geen weg meer terug – ze staat voor de koningin!*
>
> – UIT: *THE BOOK OF FASHIONABLE LIFE*

21 augustus 1836

Tijdens het diner speelde de kapel van de 1st Life Guards. Daarna luisterden we naar wat vocale muziek. Er waren drie zangers: Mme. Caradori, die aardig zingt maar een nogal schrille en emotieloze stem heeft en zeker geen Grisi is; een signor Pantaleoni, een slechte imitatie van de onnavolgbare Re dei Tenori [koning van de tenoren], en die volgens Lablache 'een jonge Italiaan is, maar geen groot talent'; en meneer Balfe. De koningin vertelde me dat ze liever Lablache, Ivanoff en Assandri gehad had, maar dat die niet hadden kunnen komen omdat ze op tournee waren. Dat zou wel geweldig geweest zijn. Balfe en Pantaleoni zongen 'Voglio dire' uit l'Elissire, mijn favoriete duet met Lablache, en dat mijn geweldige meester zo prachtig zong; het zo te horen maakte me best verdrietig; evenals 'Arturo dove sei', gezongen door Caradori en Pantaleoni - niet heel goed; en 'Tu verdrai', wat de arme man zowaar durfde te proberen. Bleef op tot na elven.

Victoria's dagboek, 21 augustus 1836

Rechts: Een achttienjarige Victoria in de koninklijke loge van het Drury Lane Theatre

OPERA

'Ik heb me heel erg geamuseerd'

···· VICTORIA ····

VAN DE PAAR SOCIALE VERPLICHTINGEN die prinses Victoria bij mocht wonen, hield ze het meest van de opera. Tijdens de zomerseizoenen in Londen in de jaren '30 bezocht ze samen met haar moeder regelmatig een voorstelling.

Naarmate ze ouder werd, werd Victoria's passie voor de opera alleen nog maar groter, vooral wanneer er sprake was van drama en romantiek – wat dus met name gold voor de werken van de drie grote Italianen: Bellini, Donizetti en Rossini. Haar liefde voor de Italiaanse opera motiveerde haar om de taal te leren. In 1836 wist ze de hertogin van Kent zelfs zover te krijgen dat die de Italiaanse tenor Luigi Lablache in dienst nam om haar privélessen te geven. Victoria aanbad Lablache als een vaderfiguur en hun vriendschap zou twintig jaar duren.

Een nieuwe en opwindende generatie van zangeressen begon de plek van mannelijke castraten in te nemen en degene die Victoria vooral opviel was de legendarische Maria Malibran, die bekendstond om haar zeer gepassioneerde optredens. Toen Malibran in 1836 op achtentwintigjarige leeftijd overleed na een plotseling ziekbed, rouwde de prinses, maar inmiddels werd Malibrans plek alweer ingenomen door een nieuwe Italiaanse zangeres: Giulia Grisi.

Victoria had Grisi voor het eerst zien optreden tijdens haar Londense debuut in 1834, waarbij ze betoverd raakte door haar uiterlijke schoonheid. Door haar donkere ogen en donker haar, die sterk afstaken tegen haar bleke huid, en haar fragiele bouw straalde ze een enorme kwetsbaarheid uit op het podium. Tot grote vreugde van Victoria werd Grisi uitgenodigd om samen met Malibran en drie mannelijke operasterren – Lablache, de bariton Antonio Tamburini en de tenor Battista Rubini – te zingen tijdens een speciaal concert ter ere van haar zestiende verjaardag in 1835, dat door haar moeder georganiseerd was.

Victoria bleef onder de indruk van Grisi, vooral in haar favoriete opera – *I Puritani* – waarin Grisi de hoofdrol vertolkte. Kort voordat ze de troon besteeg herinnerde Victoria zich een memorabel bezoek aan deze voorstelling:

> *Het was mijn geliefde 'Puritani' [...] Grisi, Rubini, Lablache en Tamburini hadden hun eerste optreden dit seizoen en werden allemaal enthousiast toegejuicht [...] Nooit heb ik iets mooiers gezien dan [Grisi], en ze zong zo schitterend, evenals Rubini, wiens stem elk jaar mooier lijkt te worden, voor zover dat mogelijk is. Onnodig te zeggen dat de zang van deze 4 unieke en ongeëvenaarde artiesten, zoals altijd, perfect was!*
>
> –VICTORIA'S DAGBOEK, 8 APRIL 1837

Victoria bezocht deze opera tientallen keren. Het was ook de eerste opera die ze samen met prins Albert zag, tijdens zijn bezoek in mei 1836.

gekleed voor het bal. Even na 10 uur betrad ik met Mama en al mijn hofdames en heren de Gele of Eerste Salon, waar Weipperts orkest stond opgesteld [...] Na tienen gingen de deuren open en liep ik door de salon naar de andere balzaal naast de eetzaal, waarin Strauss' orkest speelde. Ik voelde me een beetje verlegen toen ik naar binnen ging, maar was daar al snel overheen, waarna ik op mensen afstapte om een praatje te maken [...] Ik moet zeggen dat de ruimtes er prachtig uitzagen, goed verlicht en alles even mooi gedecoreerd; en dat allemaal in één dag gedaan. Het was helemaal niet druk; er hadden zelfs nog wel meer mensen bij gekund. Ook de eetzaal zag er prachtig uit. De troonzaal was omgetoverd tot theekamer. Eerst danste ik met George (een quadrille uiteraard, aangezien ik alleen maar quadrilles dans); en daarna met prins Nicolaas Esterhazy; na elke quadrille volgde een wals. Nooit eerder hoorde ik zoiets moois als Strauss' orkest. [...] Ik verliet het bal pas om 10 voor vier!! En lag in bed om half 5 – de zon scheen al. Het was een heerlijk bal, zo vrolijk, zo fijn – en ik voelde me zo gelukkig en blij; ik had al zo lang niet meer gedanst en was zo blij dat het weer eens kon! Slechts één ding vond ik jammer – en dat was dat mijn geweldige, vriendelijke, goede vriend lord Melbourne er niet bij was. Dit was mijn eerste bal en ik miste hem zeer; ik denk dat het hem ook bevallen zou zijn!

Victoria's dagboek, 10 mei 1838

VICTORIA WAS MEESTAL OPGELUCHT wanneer de twee uur durende ontvangsten van de Levées en Drawing Rooms voorbij waren en ze zich, terug in het paleis, weer kon overgeven aan haar passie voor dansen. Vanaf de late jaren '20 had ze een danslerares, madame Bourdin, die dankzij de hertogin van Kent haar eigen dansacademie aan Portman Square bezat. Nadat ze naar Buckingham Palace verhuisd was hield Victoria regelmatig grote diners, waarna er vaak spontaan gedanst werd, maar pas op 10 mei 1838 hield ze haar eerste staatsbal. Net als bij de Drawing Rooms vochten de mensen om een uitnodiging, iets wat Lord M. maar 'uiterst ongehoord, opdringerig en onwaardig' vond.

Maar hoezeer Victoria ook hield van dansen en bewonderd werd om haar sierlijke voetjes, voor een ongetrouwde koningin was het sociaal onacceptabel om te walsen of deel te nemen aan dansen waarbij veel lichamelijk contact kwam kijken – zoals rond het middel vastgehouden worden door je mannelijke danspartner. Hierdoor mocht ze tot haar huwelijk met prins Albert dus helaas alleen maar de quadrille dansen, die tijdens de eerste jaren van haar koningschap net weer populair geworden was.

De quadrille was ooit de meest ceremoniële dans aan het hof en leek wel wat op de cotillon, een aan de hofetiquette aangepaste volksdans. De quadrille werd gedanst in groepjes van vier paren, die in een rij tegenover elkaar stonden en tot wel zestien verschillende en vaak behoorlijk ingewikkelde figuren uitvoerden, aangekondigd door de ceremoniemeester. Een staatsbal begon altijd met een aantal quadrilles, waarbij de koningin met haar belangrijkste gast danste. Tijdens het bal in mei 1838 speelde de veel gevraagde Weippert's Quadrille Band, bekend vanwege zijn quadrilles gebaseerd op de melodieën van populaire opera's en liedjes. Het was het eerste bal dat Victoria als koningin hield en uit haar dagboekverslag blijkt hoe enthousiast ze was.

Na een vermoeiende avond vol dans was Victoria de volgende ochtend weer fris als een hoentje en ze schreef haar oom Leopold: 'Ik had de gelukkigste verjaardag sinds jaren; o, wat een verschil met vorig jaar! Iedereen was zo vriendelijk en aardig voor me.'

Maar in 1839 had Victoria's hectische leven vol dans, laat naar bed gaan en feesten zulke vormen aangenomen, dat lord M. zich bezorgd af begon te vragen of het niet teveel van het goede was. Hoewel Victoria met volle teugen genoot en niet stond te springen om haar sociale leven op te geven, luisterde ze altijd naar haar premier. Het werd inmiddels ook wel duidelijk dat al dat vertier een negatieve invloed op haar werk als koningin had:

> *De koningin vergat lord Melbourne te vragen of hij dacht dat het kwaad zou kunnen als ze de hertog van Cambridge zou schrijven dat ze vreesde dat ze te veel van zichzelf vergde, wanneer ze op dinsdag een feest in Gloucester House zou bezoeken, op woensdag een concert met oude muziek bijwoonde en op donderdag deelnam aan een bal in Northumberland House, vooral omdat ze de afgelopen vier dagen al zoveel te doen gehad had. Mocht ze dat concert op woensdag bijwonen, terwijl ze op maandag zelf al een concert georganiseerd had, dan zouden dat vier vermoeiende avonden achter elkaar worden, temeer daar de koningin toch al redelijk uitgeput is.*
>
> *Maar wanneer lord Melbourne vindt dat ze, omdat er enkel Engelse zangers aan het concert met oude muziek deelnemen, wel zou moeten gaan, dan zou ze er bijvoorbeeld voor één akte naartoe kunnen gaan; hoewel ze er liever, indien mogelijk, onderuit zou komen, omdat het al zo'n vermoeiende periode is…*
>
> *Aangezien de onderhandelingen met de tory's ten einde lopen en lord Melbourne hier was, hoopt de koningin dat lord Melbourne er niets op tegen heeft om zondag met haar te dineren?*
>
> – Brief van Victoria aan Melbourne, 10 mei 1839

LEHZEN:
Het banket begint om twaalf uur, Majesteit. Wanneer u nu niet opstaat, bent u niet op tijd klaar.

Uiteraard zou het huwelijk met Albert en de onvermijdelijk daaropvolgende zwangerschappen al snel een domper zetten op Victoria's met feesten gevulde leventje.

DE NEGENTIENDE VERJAARDAG VAN DE KONINGIN, 1838

- HOE LONDEN DE GEBEURTENIS VIERDE -

De verlichting 's avonds was prachtig. Elk clubhuis aan St. James's Street en de Pall Mall was verlicht met bontgekleurde olielampen, stralende sterren, kronen, rozetten, slingers en de initialen 'V.R.' in gas- of olielampen. Aan Regent Street was de winkel van Messrs Dyson, de kantleveranciers van het hof, versierd met een transparant van Hare Majesteit op de troon, met aan haar voeten de Britse leeuw, die de veelkoppige demon van de anarchie en chaos verjaagt; dit alles omringd door de woorden: 'Hail star of Brunswick', een frase uit een bekend Engels lied. Maar het meest originele decoratiestuk bevond zich toch wel in de etalage van meneer Groves viswinkel aan Bondstreet, waar de letters van de naam Victoria met behulp van karpers geschreven waren en spieringen de Orde van de Kousenband uitbeeldden, met een reusachtige kabeljauw en een enorme zalm in de rol van de leeuw en de eenhoorn.

-UIT: *THE FIRST YEAR OF A SILKEN REIGN, 1837-38,*
ANDREW W. TUER EN CHARLES E. FAGAN, 1839

Alophe del. et lith

DANS

'Mijn gevoelens voor opera en dans zijn zeer sterk'

···· VICTORIA ····

TIJDENS HAAR TIENERJAREN ontwikkelde Victoria een groot enthousiasme voor ballet. Niet alleen beschreef ze regelmatig in haar dagboek de door haar bezochte balletvoorstellingen, haar favoriete scènes tekende en schetste ze na in haar schetsboeken en voor haar poppen knutselde ze miniatuurversies van de kostuums van de ballerina's.

Victoria's liefde voor het ballet werd nog eens versterkt door haar bewondering voor de leidende vertolkster van het Europese romantische ballet in die tijd, de Italiaanse danseres Marie Taglioni, die in de jaren dertig van die eeuw erg populair was in Londen. Taglioni baarde nogal wat opzien toen ze in haar nieuwe doorzichtige, klokvormige balletrok (de voorloper van de tutu) in de opera van Parijs verscheen, waar ze haar beroemdste rol danste – *La Sylphide.* Ook was ze een van de eersten die met de nieuwe verstevigde balletschoenen op spitzen danste en wel zo kundig en elegant, dat het publiek erdoor betoverd was.

Victoria vond Taglioni's dans magisch en vroeg zich af hoe ze 'zo door de lucht kon vliegen':

> *Het is prachtig om te zien hoe ze over het toneel rent en springt. Bijna als een jonge ree. Alles doet ze even sierlijk. De bewegingen van haar armen en mooie handen zijn zo gracieus, en haar gezicht heeft daarbij zo'n milde, lieve uitstraling.* –VICTORIA'S DAGBOEK, 2 JUNI 1835

Victoria was zo gefascineerd door Taglioni dat ze in 1833 een kostuum kopieerde dat ze tijdens een andere voorstelling gedragen had: 'Na het diner verkleedde ik mij als *La Naiade,* net zoals Taglioni, met koralen in mijn haar.'

In mei 1829 kreeg Victoria eindelijk zelf de kans om de dansvloer op te gaan. Vlak na haar tiende verjaardag organiseerde koning William IV een jeugdbal ter ere van het staatsbezoek van de jonge Portugese koningin doña Maria da Glória. Tijdens dit, haar eerste, bal bewees Victoria hoe goed ze kon dansen. Ze herhaalde dit tijdens het bal ter ere van haar veertiende verjaardag in St. James's Palace, waar ze de ene quadrille na de andere danste. Hoewel haar grote liefde voor dans tijdens haar huwelijk, door haar zwangerschappen, wat getemperd zou worden, bleef ze een sierlijke danseres, die behendig de gracieuze stijl van een ballerina in haar manier van dansen verwerkt had, zoals vaak opgemerkt werd.

....

Links: Marie Taglioni

HET WELZIJN VAN MIJN VOLK

admiration is felt
for your Services which are
fully equal to those
of ~~any~~ dear & brave Soldiers
whose sufferings you
have had the privi-
lege of alleviating
in so merciful a man-
ner. I am however anxious
of marking my feel-

'Ik vind Oliver Twist bijzonder interessant en mooi en scherpzinnig geschreven'

···· VICTORIA ····

Toen Victoria in 1837 op de troon kwam, stond Groot-Brittannië aan de vooravond van een ongeëvenaarde periode van commerciële en industriële ontwikkeling en de daarmee gepaard gaande stedelijke uitbreiding. Tijdens de eerste jaren van haar bewind bloeide in het noorden de productie- en textielindustrie op; de ontwikkeling van stoomkracht en de komst van de ijzer- en kolenindustrie versterkten elkaar; treinen en stoomschepen werden steeds belangrijkere vervoersmiddelen; het postsysteem werd hervormd en de postzegel ingevoerd; de elektrische telegraaf en gasverlichting rukten op. Maar het was tevens een tijd van groeiende algemene onrust over de misère van de armen, die eindelijk een stem gekregen hadden in de werken van Charles Dickens. De grote verspreiding van zijn romans voor een of twee penny's of als vervolgverhalen in tijdschriften kreeg niet alleen veel mensen aan het lezen, maar bracht ook belangrijke sociale kwesties onder de aandacht. Met zijn roman *Oliver Twist* bijvoorbeeld, een favoriet van de koningin, confronteerde Dickens deze nieuw natie van 'victorianen' met de verschrikkingen van de armoede in de steden en de sociale achterstand daar. Ook bracht hij de wreedheden van de in 1834 van kracht geworden nieuwe Armenwet aan het licht, die de bijstand afschafte en behoeftigen veroordeelde tot de vernederingen van het werkhuis.

VICTORIA HAD Charles Dickens' eerste vermakelijke roman, *The Pickwick Papers,* gelezen toen die in 1836-37 als feuilleton verschenen was, hoewel haar moeder het lezen van 'lichte literatuur' afkeurde. Maar het was de roman die kort daarop verscheen die pas echt tot Victoria's verbeelding sprak, en tot die van het Britse volk, en die Dickens tot een gevestigde literaire figuur en tevens een voorvechter van de onderklasse maakte. Gedurende een periode van zesentwintig maanden, van februari 1837 tot april 1839, hield hij de lezers van *Oliver Twist* op het puntje van hun stoel, toen de roman als serie in *Bentley's Miscellany* verscheen.

Victoria begon de roman te lezen in december 1838 en vond hem 'bijzonder interessant en mooi en scherpzinnig geschreven'. Verschillende keren probeerde ze het boek met lord Melbourne te bespreken, maar die bleek niet echt geïnteresseerd in het onderwerp van de roman. Lord M. leek een grote afkeer te hebben van de realiteit van de Londense 'paupers' en 'armoedige verdorvenheden' die in de roman beschreven werden. Toen Victoria opgewonden vertelde dat de beschrijving van de moord op Nancy door Sikes 'te verschrikkelijk voor woorden' was en dat het 'mij de koude rillingen bezorgde', had lord M. even zijn gezicht vertrokken en gezegd: 'Ik moet niets hebben van die moorden… ik houd me er liever verre van.' Victoria was terecht verontwaardigd over de verschrikkingen die *Oliver Twist* aan het licht bracht over de 'uithongering in de werkhuizen en scholen, waar kinderen nooit genoeg te eten kregen'. En Melbourne erkende dat 'in veel scholen kinderen onvoldoende te eten krijgen en slecht bier, om kosten te besparen', maar vond de roman veel te angstaanjagend, zoals Victoria in haar dagboek noteerde:

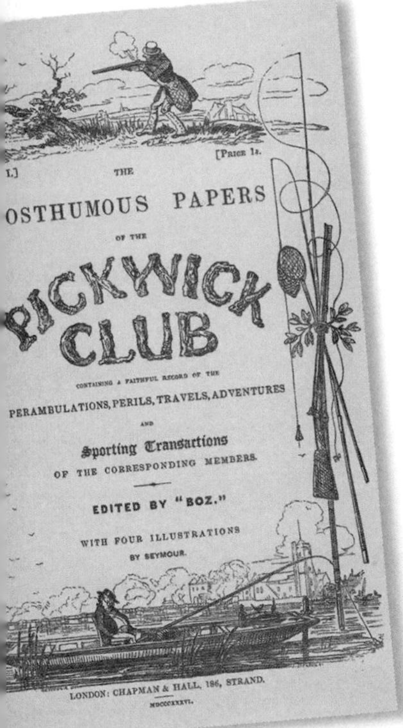

Hij heeft de helft van het eerste deel gelezen, op Panshanger [graaf Cowpers huis]; 'het gaat alleen maar over werkhuizen en doodskistenmakers; en zakkenrollers,' zei hij. 'Ik vind die laag-bij-de-grondse, honende stijl maar niets; het is allemaal straattaal. Net als "The Beggar's Opera"; niet bepaald opbeurend allemaal. Ik hou ook niet van die vernederende kijk op de mens.' Wij [Victoria en Lehzen] verdedigden Oliver zeer, maar tevergeefs; 'Ik houd niet van zulke dingen; ik vermijd ze liever; ik houd er in het echt ook niet van en dus hoef ik ze ook niet terug te zien in een verhaal,' ging hij verder; alles wat men leest moet puur en verheffend zijn; 'Schiller en Goethe enz., die zouden geschokt zijn wanneer ze dit lazen.'

~VICTORIA'S DAGBOEK, 7 APRIL 1839

Links: Victoria las de *The Pickwick Papers* tussen 1836 en 1837.

LORD MELBOURNE MOCHT zich dan wel hebben kunnen terugtrekken in de veiligheid en rust van zijn huis Brocket Hall om zo de ellendige realiteit niet te hoeven zien, maar voor de armen van het victoriaanse Groot-Brittannië – met name in een stad als Londen – was er helaas geen ontkomen aan. Niet alleen hadden ze te maken met lange werkdagen, lage lonen en slecht eten, ze woonden ook nog eens in overvolle, onhygiënische woonruimtes, waardoor ze constant blootgesteld waren aan ziektes.

SKERRETT:
Zijn die vrienden van jou niet bang voor de koorts?

FRANCATELLI:
Wanneer je maar genoeg gin drinkt, kan je niets gebeuren.

Vooral cholera was wijdverbreid in Londen rond 1830, met name in achterstandswijken als St. Giles en Seven Dials – waaraan de jonge Nancy Skerrett, assistent-kamenierster van mevrouw Jenkins in de televisieserie, een bezoek brengt. Hier, in de smerige, door ratten geplaagde en op beerputten gebouwde huizen – een ander systeem van huisriolering en afvoer bestond er destijds vrijwel niet – brak regelmatig cholera uit. Bij de Londense cholera-uitbraak van 1831-32 kwamen 6526 mensen van de in totaal anderhalf miljoen Londenaren om het leven. En tijdens de epidemie van 1838 werden 14.000 mensen ziek en overleden er 1300. En altijd waren het de armen in hun overvolle behuizingen die het meest te lijden hadden.

De oorzaak van de cholera-infectie was, zoals de victorianen pas later ontdekten, het stilstaande water van de Thames, waarin het meeste afvalwater uit de open riolen geloosd werd. De bacteriën werden vervolgens verspreid door de gemeenschappelijke waterpompen, die hun water weer uit de vervuilde rivier haalden. Maar destijds geloofde men nog dat cholera via de lucht verspreid werd. Pas na een grote epidemie in 1848 en het baanbrekende werk van gezondheidshervormer Edwin Chadwick – die in 1842 *The Sanitary Condition of the Labouring Population* schreef – lukte het eindelijk om cholera effectief te bestrijden.

Rechts: Het Seven Dials-district in Londen, waar cholera welig tierde in de jaren dertig.

DE WERKHUIZEN

'Werk, straf en discipline zullen de lustelozen en kwaadwillenden afschrikken'

···· UIT EEN VERSLAG VAN DE COMMISSIE DIE DE ARMENWET BEOORDEELDE ····

GEDURENDE HET GEHELE victoriaanse tijdperk werd er fel gediscussieerd over welke armen hulp verdienden en welke niet, en over wie er recht had op overheidsondersteuning en wie niet. Over het algemeen was men het erover eens dat een al te gulle ondersteuning, waarbij weinig onderscheid gemaakt werd, zou zorgen dat de armen er te veel op gingen rekenen. Net als bij het debat over de bijstand van tegenwoordig, werd ook toen al gedacht dat het verlenen van financiële hulp zou leiden tot misbruik van het systeem; dat armen lui zouden worden en niet meer zouden willen werken. Zelfs vele goedbedoelende sociaalhervormers uit die tijd zagen armoede als een gevolg van karakterzwakte, in plaats van als een gevolg van slechte levensomstandigheden.

Tot 1834 zorgden de oude Armenwetten nog voor financiële bijstand voor de armen binnen een parochie, gefinancierd uit belastingheffingen voor de inwoners uit de midden- en bovenklasse. Dit stuitte echter op steeds meer bezwaar, belastingbetalers klaagden dat hun geld niet terechtkwam bij de mensen die het nodig hadden en dat het de armen aanmoedigde om kinderen te krijgen die ze zich eigenlijk niet konden permitteren. Toen na de napoleontische oorlogen talloze berooide soldaten naar huis terugkeerden en het tijdens de jaren '30 ook nog eens tot een economische recessie kwam, kwam deze oude methode van armenondersteuning steeds meer onder druk te staan.

De nieuwe Armenwet van 1834 maakte een einde aan alle financiële ondersteuning van armen en voerde een systeem van werkhuizen in. Om in aanmerking te komen voor bijstand moest iemand terugkeren naar zijn eigen parochie – hoe ver weg ook – en daar in een werkhuis wonen en zijn inkomen verdienen. Eenmaal binnen zorgde het bestuur van het huis ervoor dat het leven voor de bewoners zo vernederend en ellendig mogelijk was, zodat mensen om te beginnen al gedemotiveerd werden om erheen te gaan.

Zoals de commissie die de situatie beoordeelde in 1834 vaststelde:

In een dergelijk huis wil niemand vrijwillig naar binnen; werk, straf en discipline zullen de lustelozen en kwaadwillenden afschrikken; en enkel de uiterste nood zal mensen ertoe drijven om de hulp te accepteren, door hun persoonlijke vrijheid op te geven en afstand te doen van hun gewoontes en gerieven.

– UIT: *POOR LAW COMMISSIONERS' REPORT*, 1834

Wanneer echtparen aanklopten voor ondersteuning, werden ze meteen bij binnenkomst in het werkhuis gescheiden. De mannen moesten stenen hakken of aan het werk in de tredmolen; de vrouwen moesten vlas plukken. Kinderen werden weggehaald bij hun moeders, iets wat veel vrouwen ertoe dreef om zich liever te prostitueren dan naar een werkhuis te gaan. Het systeem was één grote afstraffing; zoals politicus Benjamin Disraeli opmerkte: 'Het toonde de wereld dat armoede in Engeland een misdaad was.'

Het was dus niet verwonderlijk dat de armen er alles aan deden om niet in een werkhuis terecht te komen, omdat het in wezen niet meer dan een gevangenis was. 'Door veel gedetineerden,' zo schreef een tijdgenoot, 'wordt het werkhuis gezien als een soort sarcofaag, waarin ze levend begraven worden. Het is in elk geval het graf van al hun aardse hoop.' Wie gezond en sterk genoeg was om onder een dergelijke opsluiting uit te komen vond misschien nog wel andere mogelijkheden om te overleven, maar de ouderen, de zwakken en de zieken hadden geen keus; voor hen was de enige manier om het werkhuis te verlaten in een kist.

....

Rechts: 'In Engeland is armoede een misdaad' – etenstijd in het Marylebone werkhuis
Onder: 'Een soort sarcofaag' – werkhuis-hospitaal, Halifax

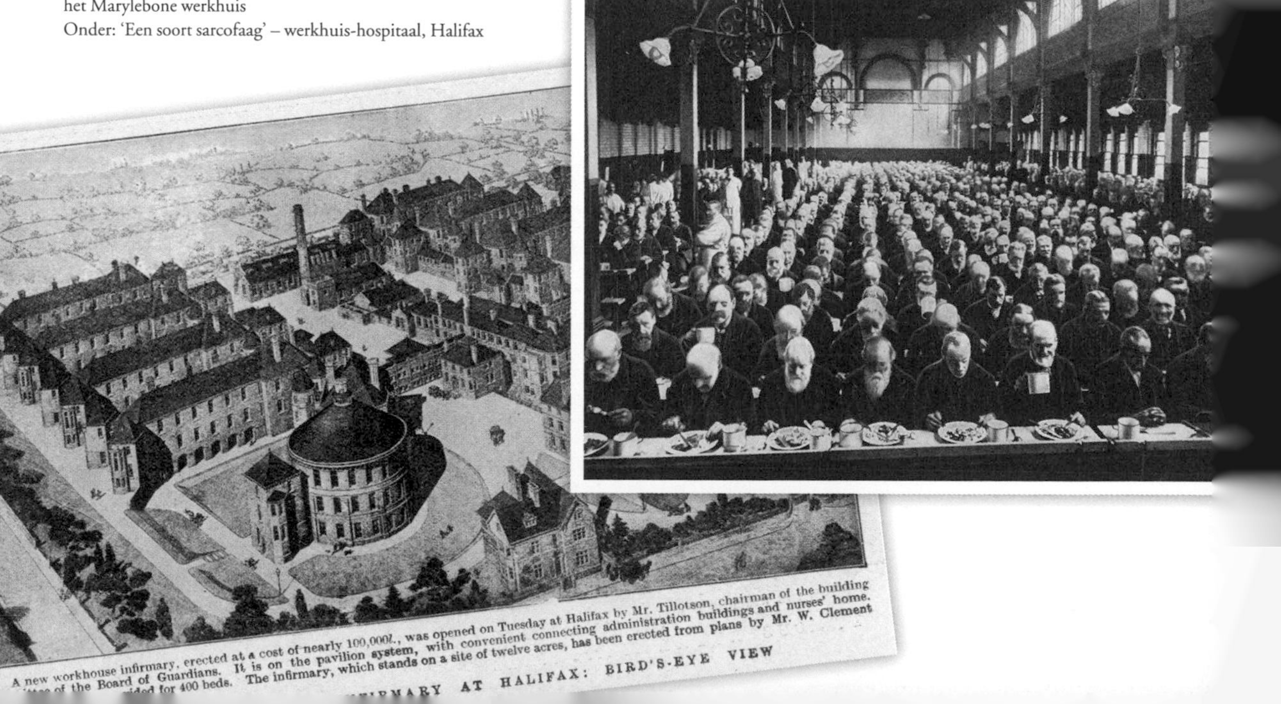

AANGEZIEN LORD MELBOURNE ER NOOIT een geheim van maakte dat hij niet graag stilstond bij hoe de lagere klassen leefden en hij sociale hervormingen wantrouwde, mag het geen verrassing heten dat hij gedurende zijn ambtstijd weinig tot niets ondernam om Victoria's sociale geweten te stimuleren. Dankzij haar beschutte leventje op Kensington Palace had ze amper iets meegekregen van het beklagenswaardige leven van grote delen van het volk. Het was prins Albert die haar na hun huwelijk de ogen opende. Maar Victoria kende zeker barmhartige gevoelens: zoals het een monarch betaamde kwam ze haar christelijke plichten na en deed regelmatig aanzienlijke donaties aan goede doelen. Ze bezocht instituten die haar aanspraken en was beschermvrouwe van organisaties die zich inzetten voor verbetering van de ellendige leefomstandigheden van de minderbedeelden, maar over het algemeen kreeg de koningin weinig te zien van de impact die armoede had op het leven van gewone mensen.

ALBERT:
Weet je wat ik zag langs die mooie doorgaansweg, Regent Street? Een kind, misschien drie of vier jaar oud, dat lucifers per stuk verkocht. Jouw lord Melbourne kiest ervoor om dergelijke dingen niet te zien, maar mij ontgaat het niet.

In 1832 had Victoria als dertienjarige tijdens haar rondreis in Birmingham al een glimp opgevangen van de 'donkere satanische molens', zoals William Blake ze omschreven had, maar pas in 1836 lezen we in haar dagboek de eerste opmerkingen over het lijden van de onderklasse – in dit geval de problemen van een arme zigeunerfamilie, die hun kamp in de buurt van Claremont opgeslagen had. Victoria leek zich bewust van de constante verguizing en uitstoting van reizende volkeren, genoeg om James Crabbs boek *Gipsies' Advocate; Or Observations on the Origin, Character, Manners and Habits of the English Gipsies* erbij te pakken:

> *Hij roept alle mensen met een goed hart en christelijke gevoelens op om te denken aan deze arme zwervers, die vele goede eigenschappen bezitten en onder wie ook zo veel goede mensen zijn. Hij zegt, en helaas weet ik dat maar al te goed uit eigen ervaring, dat wanneer zigeuners ergens hun kamp opgeslagen hebben en in de buurt een misdrijf of overval of iets dergelijks plaatsvindt, zij daar steevast de schuld van krijgen, wat echt schokkend is; en dat ze nooit een goed mens kunnen worden wanneer iedereen altijd maar op hen neerkijkt en hen ziet als vagebonden. Ik vertrouw op God dat er een dag mag komen waarop ik iets voor deze arme mensen kan betekenen.*
>
> ~VICTORIA'S DAGBOEK, 29 DECEMBER 1836

Rechts: Zigeunervrouwen, getekend door Victoria

DICHTER BIJ HUIS BEVOND ZICH een van de eerste liefdadigheidsinstellingen die haar belangstelling hadden, toen ze nog een prinses was, de *Children's Friend Society*. Opgericht in 1830 door Edward Brenton, een voormalig marineofficier en filantroop, om dakloze en verlaten kinderen van de straat te redden, een opleiding te geven en aan werk te helpen – wat vooral inhield dat ze naar overzeese kolonies gestuurd werden. Brenton had in Hackney een jongenstehuis opgericht en in Chiswick een huis voor meisjes, dat, dankzij de hulp van Victoria, later de naam 'Royal Victoria Asylum' zou krijgen. Vanuit dit tehuis in Chiswick wordt Nancy Skerrett uit de serie naar het paleis gestuurd om er te werken.

Prinses Victoria bezocht het tehuis in 1836:

Het is een buitengewoon interessante en aantrekkelijke instelling [...] Het is voor arme, dakloze meisjes onder de 15; en volgens mejuffrouw Murray hebben ze hier nog geen enkel meisje gehad dat na een verblijf van zes maanden niet in een volkomen braaf kind veranderd was. Ik was vergeten hoe jong de kinderen hier soms nog zijn, maar het zijn allemaal meisjes en ze worden van elkaar gescheiden, de kleintjes bevinden zich in een kleuterschool op de eerste verdieping. Zodra ze genoeg geleerd hebben, kunnen lezen, schrijven en allerlei huishoudelijke klusjes kunnen doen, worden ze naar het buitenland gestuurd. Meestal naar Kaap de Goede Hoop, waar ze in de leer gaan en uitstekende bedienden worden. Mejuffrouw Murray vertelde ons over de ellendige en jammerlijke staat waarin velen hier arriveren, en hoe snel ze veranderen in brave kinderen. Er was één meisje in het bijzonder, een mooi meisje met donkere ogen, een jaar of 11 oud, genaamd Ellen Ford, dat hier twee maanden geleden vanuit Newgate aangekomen was en opschepte dat ze beter kon stelen en liegen dan wie dan ook. Na twee of drie dagen in het tehuis was ze over drie hoge muren geklommen en had ze een laken gestolen; maar ze was gepakt en teruggebracht. Mejuffrouw Murray sprak met het meisje en ontdekte dat het arme ding nooit iets was bijgebracht over een God en dat haar vader een dronken, arme Ier was. De man had zijn eerste vrouw verloren en was opnieuw getrouwd en het enige wat deze stiefmoeder het kind had geleerd was stelen en bedriegen. Mejuffrouw Murray had haar over God verteld en haar ernstig toegesproken. Het meisje was die nacht in de isoleercel gestopt en er de volgende ochtend weer uit gelaten en is sindsdien een bijzonder braaf kind. Mejuffrouw Murray zei dat ze nog veel meer van dit soort verhalen kon vertellen.

~VICTORIA'S DAGBOEK, 3 AUGUSTUS 1836

VICTORIA'S BEGRIJPELIJK BEPERKTE KIJK op het sociale werk in Chiswick strookte niet helemaal met hoe de dingen in de praktijk verliepen. Het leven van sommige meisjes, nadat ze de instelling verlaten hadden en naar de koloniën gestuurd waren was zwaar, en algauw werd de Children's Friend Society beschuldigd van kindersmokkel en slavenarbeid – kinderen zouden uitgehongerd en geslagen worden. Dergelijk negatieve berichten deden haar reputatie geen goed en in 1840 eiste de regering dan ook, na onderzoek gedaan te hebben naar de instelling, dat de levensomstandigheden van de kinderen verbeterd moesten worden. Maar de donaties waren inmiddels steeds verder afgenomen en het jaar erop werd de instelling opgeheven. Voor de arme kinderen, die nu geen steun meer kregen vanuit de maatschappij (net als de zwakken, de ouderen en de gebrekkigen) en om wie niemand zich meer bekommerde, bleef nu enkel nog de mogelijkheid over van een leven in de criminaliteit of in het werkhuis.

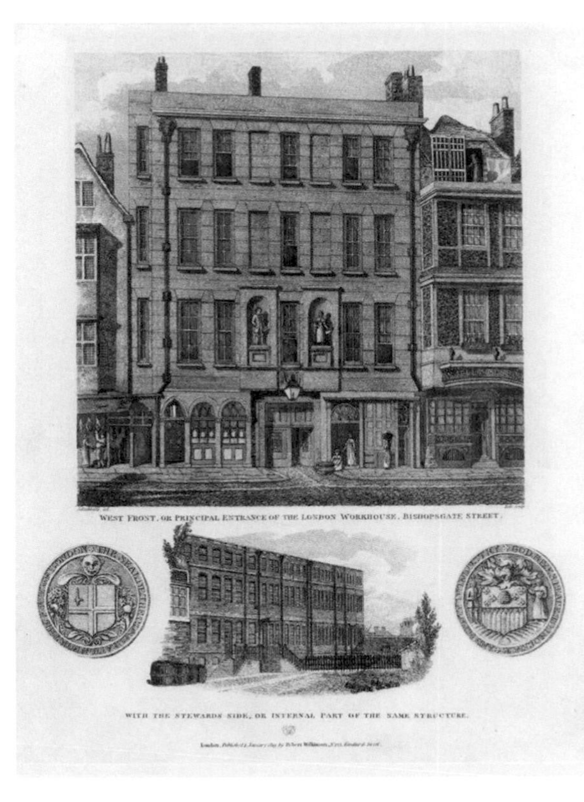

Links: 'Geen steun meer vanuit de maatschappij…' – werkhuis in Londen, Bishopsgate Street

DE ARMENWIJKEN VAN ST. GILES EN SEVEN DIALS

'Waar ellende zich vastklampt aan ellende, op zoek naar een beetje warmte'

···· THOMAS MILLER ····

SEVEN DIALS, WAAR Nancy Skerrett zich in de serie naartoe waagt en dat beroemd geworden is door de boeken van Charles Dickens, was een beruchte krottenwijk aan de rand van het Londense Covent Garden. Samen met de aanliggende parochie van St. Giles vormde het een doolhof van straten, pleinen, lanen en steegjes – een plek waar prostitutie, criminaliteit, tegenslag en wanhoop tot het leven van alledag behoorden. Zoals een schrijver uit die tijd, Thomas Miller, in zijn boek *Picturesque Sketches of London* (1852) schreef, was het een plek waar 'ellende zich vastklampt aan ellende, op zoek naar een beetje warmte, en waar armoede en ziekte naast elkaar liggen te kreunen'.

Charles Dickens had heel wat avondwandelingen door deze twee buurten gemaakt, op zoek naar inspiratie voor zijn *Sketches by Boz* uit 1835, en hij gebruikte zijn ervaringen ook voor de beschrijving van Fagins en Bill Sikes' leefomgeving in *Oliver Twist.* Een tijdschriftartikel uit die tijd geeft een goed beeld van hoe het leven er daar toen uitzag:

> *Wie op weg naar de stad weleens door St. Giles gekomen is […] en door een kleine opening ergens een glimp heeft mogen opvangen van de erbarmelijke leefomstandigheden aldaar, en de deplorabele, criminele bewoners, moet zich verbluft afgevraagd hebben hoe een dergelijke vergaarbak van verdorvenheid en criminaliteit mogelijk is in het hart van de metropool. Als een gezwel dat het gehele lichaam kan besmetten.*
> *Een smal straatje, afgeschermd met behulp van palen en planken, slechts enkele stappen verwijderd van de drukke doorgaande weg, leidt naar een angstaanjagende omgeving, een toevluchtsoord, zo wordt al snel duidelijk, van half de wetteloze bevolking die deze stad onveilig maakt. De grofste schunnigheden vliegen je om de oren en walgelijke geuren doen een aanslag op het reukvermogen. Verderop, terwijl je je een weg zoekt door goten vol viezigheid, over hopen rottend vuilnis en oesterschelpen heen, worden alle weerzinwekkende en afzichtelijke eigenschappen van de buurt pas echt zichtbaar. Vreemd genoeg heeft het geheel ook iets rauw schilderachtigs, maar de details zijn zo vreselijk dat de aanblik ervan alleen maar weerzin op kan*

wekken. De huizen zien er even smerig uit als hun bewoners en zitten onder een even dikke korst vuiligheid [...] Verschrikkelijke onderkomens, anders kan het niet omschreven worden. Veel huizen hebben geen ramen en daar waar de kozijnen nog aanwezig zijn heeft bruin papier of blik de plek van het glas ingenomen; in sommige huizen ontbreekt zelfs een deur en is er geen enkele moeite gedaan om de ellende binnen te verbergen. Integendeel, die lijkt zich aan de toeschouwer op te dringen. Armzalige kamers, bijna leeg: vloeren en wanden bedekt onder het vuil, of behangen met afstotelijk schreeuwerige prenten; schaamteloze en sjofel uitziende vrouwen; kinderen zonder schoenen en kousen, met amper een vod aan hun lichaam; dit is wat de toeschouwer voornamelijk te zien krijgt [...] Deze verschrikkelijke onderkomens zijn zo dichtbevolkt dat elke kamer, van zolder tot kelder, krioelt van de bewoners. Wat de kelders betreft, die zien eruit als naargeestige holen, waar een wild dier nog niet zou willen worden gevonden. Tussen de huizen hangen waslijnen, vol met allerhande kledingstukken. Vanaf de hoofdstraat buigen verschillende steegjes en doorgangen af, allemaal even mistroostig of indien mogelijk nog erger, waarin het ook weer wemelt van de mensen [...] Het is onmogelijk om ook maar een stap te zetten zonder beledigd of lastiggevallen te worden. Iedereen lijkt gewelddadig of zijn waardigheid te zijn kwijtgeraakt; de vrouwen lijken geen enkel fatsoen meer te hebben en overal op straat hoort men hen gillen, ruziën en vloeken. Het is een opluchting om dit broeinest van criminaliteit te verlaten en terug te keren naar de buitenwereld, waar weer schone lucht ingeademd kan worden.

~ AINSWORTH'S MAGAZINE, NOVEMBER 1844

....

Rechtsonder: 'Erbarmelijke leefomstandigheden' – armenwijk in St. Giles, Londen, 1849

No 9

Terwijl filantropen en sociale campagnevoerders zich bleven inzetten om het lot van de kansarmen te verbeteren, kon het Britse volk in ieder geval wel trots zijn op de technologische vooruitgang die plaatsvond tijdens de eerste jaren van Victoria's bewind. Een van de grootste veranderingen in het leven van de natie was ongetwijfeld de ontwikkeling van stoomkracht, die op zijn beurt weer de eerste stoomlocomotieven en stoomboten mogelijk maakte. In april 1838 maakten zowel de *Great Western* – een door Isambard Kingdom Brunel ontworpen radarstoomboot met Bristol als thuishaven – als het Londense stoomschip *Sirius* hun eerste Atlantische oversteek in slechts vijftien dagen. Maar de belangrijkste veranderingen vonden toch wel plaats aan land.

De stoomlocomotief van ingenieur George Stephenson was in 1825 voor het eerst uitgeprobeerd op de Stockton & Darlington-spoorlijn, maar toen vijf jaar later de Liverpool & Manchester-spoorlijn geopend werd, waarbij voor het eerst ook passagiers mee konden rijden, begon het spoorwegtijdperk pas echt. De trein zou het vervoer per postkoets al gauw gaan overnemen. In juli 1837 werd een nieuw treinstation in Euston geopend en het vandaar lopende, veertig kilometer lange spoor vormde de eerste etappe van de geplande verbinding tussen de hoofdstad en Birmingham.

De aanleg van het nieuwe netwerk van spoorwegen was echter een bijzonder dure aangelegenheid: de kosten van het egaliseren van de bodem, het graven van tunnels en het leggen van de rails zorgde ervoor dat één mijl spoor het enorme bedrag van 50.080 pond kostte. Pas in september 1838 kon de Grand Junction Railway Company de 179 kilometer lange spoorverbinding tussen Birmingham en Londen openen, waardoor veel mensen de mogelijkheid kregen om per trein naar Londen te reizen voor de kroningsplechtigheid van de koningin.

PAS IN DE JAREN '40, toen er een ware 'spoorwegmanie' uitbrak, was het spoornetwerk ver genoeg ontwikkeld om betalende passagiers efficiënt te kunnen vervoeren. Dit begon met de *Great Western Railways,* die in 1841 een verbinding tussen Londen en Bristol aanbood, maar al tijdens de jaren dertig was er grote vooruitgang geboekt bij de post, waardoor uiteindelijk de traditionele postkoetsen vervangen zouden worden. De spoorweg tussen Birmingham en Liverpool bood inmiddels een dagelijkse postdienst aan tussen Londen en Holyhead, waardoor het nu nog maar zesentwintig uur in plaats van enkele dagen duurde om een brief te bezorgen.

In november 1839 had Victoria het genoegen om de eerste nieuwe, zelfklevende postzegel van één penny, met daarop haar afbeelding, gepresenteerd te krijgen – wereldwijd de eerste in zijn soort. Het was het resultaat van jarenlang lobbyen voor hervormingen in de postsector, aangestuurd door onderwijzer en sociaal hervormer Rowland Hill. Volgens Hill was het oude systeem te duur en bewerkelijk en hij stelde dan ook voor om voortaan een vooraf betaalde postzegel op brieven te plakken, waardoor de brief bij aflevering niet meer hoefde te worden betaald door de ontvanger.

Victoria had goede hoop dat het land zijn voordeel zou doen met dit nieuwe systeem, zoals ze meldde in haar toespraak aan het parlement in augustus van dat jaar:

VICTORIA:
En mijn afbeelding komt dus op elke brief terecht?

ROWLAND HILL:
Ja, mevrouw. Het is tenslotte de Koninklijke Post.

> *Ik vertrouw erop dat deze wet [...] een verlichting en stimulans betekent voor de handel en dat het vergemakkelijken van het postverkeer en de correspondentie sociale voordelen en verbeteringen met zich meebrengt [...] dat de positieve effecten van deze maatregel binnen alle klassen van de gemeenschap merkbaar zullen zijn.*
>
> –VICTORIA AAN HET PARLEMENT, 27 AUGUSTUS 1839

Rechtsboven: Rode penny-postzegel, 1841
Rechts: Blauwe tweepenny-postzegel, jaren veertig

De snelle uitbreiding van de Britse industrie in de jaren dertig van de negentiende eeuw zorgde onvermijdelijk voor een toename van de stedelijke beroepsbevolking, omdat veel mensen vanaf het platteland naar de stad verhuisden, op zoek naar werk. Hierdoor kreeg het platteland te maken met economische depressie en er ontstond onrust als gevolg van de toenemende mechanisering van de landbouw, waardoor veel landarbeiders hun werk kwijtraakten. Ook was er steeds meer ontevredenheid over de graanwetten, die de prijs van meel bevroren en de broodprijs omhoogdreven. Voor arbeiders werd het steeds moeilijker om hun gezinnen te onderhouden, maar in tegenstellig tot vroeger begonnen ze nu wel een politieke stem te krijgen en daarmee zetten ze zich in voor zeggenschap inzake hun werktijden en lonen, voor vakbonden en het recht om te mogen stemmen.

Velen van hen die nu ingrijpende veranderingen van het verouderde en corrupte electorale systeem eisten waren diep teleurgesteld door de hervormingswet van 1832, die noch het aantal kiesgerechtigde mannen van slechts 18% van de bevolking verhoogde, noch rechten verleende aan de klassen die geen eigen grond bezaten.

In mei 1838, tijdens een bijeenkomst in Glasgow, werd er een volkshandvest opgesteld met daarin zes hoofdeisen: algemeen kiesrecht, stemgeheim, jaarlijkse parlementsverkiezingen, betaling van parlementsleden, afschaffing van eigendomsvereiste en gelijke kiesdistricten. Het doel van het handvest werd meteen tijdens het openingspleidooi duidelijk gemaakt:

> *Wat ons betreft zou een basisprincipe van de politiek moeten zijn dat zelfbestuur door middel van vertegenwoordiging de enige juiste grondslag van politieke macht is – de enige ware basis van constitutionele rechten – de enige legitieme bron van goede wetten; – en wij zijn ervan overtuigd dat elke op een andere basis gefundeerde regering altijd zal vervallen tot anarchie en despotisme of aanbidding van klasse en rijkdom enerzijds en armoede en ellende anderzijds.*
>
> – Uit het volkshandvest, mei 1838

....

Rechtsboven: De zes punten van het volkshandvest, Glasgow, 1838
Rechtsonder: Chartist-rellen in Newport, 4 november 1839 (zie ook pagina 234)

The Six Points
OF THE
PEOPLE'S CHARTER.

1. A VOTE for every man twenty-one years of age, of sound mind, and not undergoing punishment for crime.

2. THE BALLOT.—To protect the elector in the exercise of his vote.

3. NO PROPERTY QUALIFICATION for Members of Parliament—thus enabling the constituencies to return the man of their choice, be he rich or poor.

4. PAYMENT OF MEMBERS, thus enabling an honest tradesman, working man, or other person, to serve a constituency, when taken from his business to attend to the interests of the country.

5. EQUAL CONSTITUENCIES, securing the same amount of representation for the same number of electors, instead of allowing small constituencies to swamp the votes of large ones.

6. ANNUAL PARLIAMENTS, thus presenting the most effectual check to bribery and intimidation, since though a constituency might be bought once in seven years (even with the ballot), no purse could buy a constituency (under a system of universal suffrage) in each ensuing twelvemonth; and since members, when elected for a year only, would not be able to defy and betray their constituents as now.

UIT DIT HANDVEST ONTSTOND de chartistenbeweging, die de eerste twee decennia van Victoria's bewind de politiek zou beheersen en zou leiden tot een periode van politieke onvrede en openbare protesten. Een van de eerste serieuze uitingen hiervan was in 1839, tijdens de opstand van Newport. Aanvankelijk probeerden Victoria's regering en de pers deze plotselinge volksopstand van de arbeidersklasse nog af te doen als niets meer dan een 'verstoring'. Maar het was heel wat serieuzer dan dat. Op 4 november 1839 hielden bijna tienduizend Welshe mijn- en metaalwerkers een protestmars na de arrestatie van een Welshe chartistenleider, die ervan beschuldigd werd een illegale bijeenkomst georganiseerd te hebben. Enkele demonstranten hadden pistolen en zwaarden bij zich, maar de meesten waren bewapend met rieken en ander landbouwgereedschap - alles wat maar enigszins voor wapen door kon gaan. De autoriteiten waren op de hoogte gebracht van de route van de mars door Newport en hadden manschappen van het 45ste Nottinghamshire-regiment en verschillende agenten naar het Westgate Hotel gestuurd. Toen de mensenmassa zich in beweging zette, werd deze vanuit het hotel beschoten. Vierentwintig demonstranten kwamen om het leven en velen raakten gewond.

MELBOURNE:
Sommige chartisten vinden dat vrouwen moeten kunnen stemmen.

VICTORIA:
U maakt een grapje, zeker.

Geschokt door wat in haar ogen een daad van rebellie was, vroeg Victoria zich af hoe het zo ver had kunnen komen. 'U zegt altijd dat de Britten geen revolutionaire mensen zijn,' zei ze tegen Melbourne, die haar daarop uitlegde dat de dreiging van het chartisme al enige tijd reëel geweest was en dat 'het enkel een kwestie van tijd geweest was voordat iets dergelijks zou gebeuren'. Victoria was diep onder de indruk van de moed van de bevelhebbende officier, luitenant Grey, die met zijn mannen duidelijk in de minderheid geweest was, en prees zijn 'manhaftige optreden in Newport met slechts achtentwintig mannen tegen vierduizend chartisten'.

De drie initiatiefnemers van de mars, die gehoopt hadden dat hun protest voor een nationale beweging zou zorgen, werden gearresteerd en op 31 december in Monmouth voorgeleid. Na een proces van zeven dagen werden ze in januari 1840 schuldig bevonden aan hoogverraad. Verrassend genoeg voor zo'n jong en ontvankelijk iemand als Victoria, leek ze niet in het minst onder de indruk van de straf die hun opgelegd werd. In haar dagboek schreef ze:

> *Spraken over Frost, Williams en Jones, die veroordeeld zijn wegens hoogverraad, en over de hun opgelegde straf, die nog net zo is als vroeger – ophangen en vierendelen.*
>
> –VICTORIA'S DAGBOEK, 17 JANUARI 1840

Maar er was veel protest tegen het uitvoeren van een dergelijk barbaarse straf en na allerlei petities werd het vonnis omgezet in levenslange uitzetting naar Van Diemen's Land, het latere Tasmanië. Victoria koos uiteraard weer de kant van het gezag en ridderde de burgemeester van Newport, die in haar ogen:

... zich zo onderscheiden heeft tijdens die opstand van de chartisten. [...] hij is een timide, bescheiden man en was verheugd toen ik hem mondeling meedeelde hoe bijzonder tevreden ik was over zijn optreden. Ook de officieren zijn beloond.

~Brief van Victoria aan Albert, 8 december 1839

❧ ❧ ❧

Hoewel de chartisten tijdens de jaren '40 telkens weer van zich zouden laten horen en ook steeds gewelddadiger werden, was koningin Victoria zelf al vanaf het moment dat ze de troon besteeg doelwit van politieke protesten en geweld. Hoewel de hysterische Britse pers af en toe van 'aanslagen' repte, betrof het over het algemeen slechts daden van geestelijk instabiele aandachtzoekers, die geen enkele intentie hadden om de koningin te doden.

Op 10 juni 1840 had Edward Oxford, een achttienjarige pubbediende uit Birmingham, een pistool onder elke oksel vandaan getrokken en twee schoten gelost op Victoria en Albert, toen die op een avond in een open koets Constitution Hill op reden.

Victoria was op dat moment vier maanden zwanger en prins Albert was dan ook zeer geschrokken:

Mijn grootste zorg was dat de schrik misschien schadelijk kon zijn voor Victoria in haar huidige toestand. Ik pakte Victoria's handen en vroeg haar of ze erg van streek was, maar ze moest er enkel om lachen. Toen keek ik opnieuw naar de man, die nog op dezelfde plek stond, zijn armen over elkaar geslagen, in elke hand een pistool.

~Brief van prins Albert aan zijn grootmoeder,
de douairière van Gotha, 11 juni 1840

OXFORD WERD AL SNEL door omstanders overmeesterd en bekende openlijk: 'Ik heb het gedaan', waarna hij mompelde dat hij vond dat een land niet door een koningin geleid kon worden. Albert vond zijn optreden 'zo gemaakt en theatraal, dat het bijna grappig was'. Victoria, die de andere kant op gekeken had, had weer eens laten zien hoe koelbloedig ze was. Over Oxfords verhoor in Newgate schreef ze in haar dagboek dat 'hij totaal niet gestoord leek; en dat hij tijdens het hele verhoor zeer aanmatigend en oneerbiedig geweest was'.

Of Oxford alleen handelde en wat zijn precieze bedoeling geweest was werd nooit duidelijk, hoewel lord Melbourne Victoria vertelde dat 'in Oxfords huis brieven over een geheim gezelschap aangetroffen waren'. Dit bleek later een fictief, door Oxford verzonnen militair gezelschap te zijn, dat hij de naam *Young England* gegeven had. Korte tijd werd beweerd dat dit 'gezelschap' een reactionaire, ultra-tory-groepering was, die Victoria's heerschappij wilde ondermijnen en aangestuurd werd door haar koninklijke boeman, de hertog van Cumberland.

Onduidelijk was ook hoe Oxford in het bezit van de twee meer decoratieve dan functionele, verzilverde pistolen gekomen was die hij gebruikt had en of er überhaupt wel kogels in gezeten hadden of slechts, zoals Oxford beweerde, buskruit – omdat ter plekke geen enkele kogel teruggevonden was.

Voor Oxfords proces hadden de aanklagers een hele verzameling bewijs en ooggetuigenverslagen verzameld, waaruit bleek dat de jongeman ontoerekeningsvatbaar was, de zoon en kleinzoon van alcoholisten, met een moeder die slachtoffer van herhaaldelijk huiselijk geweld was. Medische getuigen concludeerden eensgezind dat Oxford geestelijk gestoord was en hij werd schuldig maar geestesziek verklaard en veroordeeld tot een gesticht. Uiteindelijk werd Oxford overgebracht naar Broadmoor, een psychiatrisch ziekenhuis, waaruit hij in 1867 vrijgelaten werd. Hij emigreerde naar Australië.

Victoria's getoonde moed bleek enorm goed voor haar reputatie. Lord M. vertelde haar 'met tranen in zijn ogen' over de 'overweldigende' betuigingen van medeleven van haar onderdanen. De volgende dag maakten ze samen gewoon weer hun dagelijkse buitenrit. Dat was een slimme zet, die zorgde voor nog meer solidariteitsuitingen; het volk was dankbaar dat de koningin 'de moordaanslag overleefd had'. Het bleek tevens een belangrijk moment in de geschiedenis van de Britse monarchie, omdat het de overgang markeerde naar een meer populaire regeringsstijl, die dichter bij het volk stond.

DE ANTISLAVERNIJCONVENTIE

'Een heilig doel'

SOCIETY FOR THE EXTINCTION OF THE SLAVE TRAFFIC AND THE CIVILISATION OF AFRICA*

AL IN 1833 WAS ER door middel van een wet een einde gemaakt aan de slavernij, waarbij in totaal 800.000 slaven in het gehele Britse Rijk bevrijd werden, maar in Amerika en vele andere delen van de wereld bestond het nog steeds.** In juni 1840 werd in Londen een bijeenkomst georganiseerd van alle belangrijke spelers binnen de wereldwijde anti-slavernijbeweging. De Wereld Antislavernijconventie vond plaats van 12 tot 23 juni in de Exeter Hall – een veelgebruikte locatie voor filantropische en religieuze bijeenkomsten – op initiatief van belangrijke Britse en Amerikaanse hervormers uit de Quakergemeenschap. De conventie werd bijgewoond – na een felle discussie of ze wel toegelaten mochten worden – door zeven vrouwelijke afgevaardigden. Het was de allereerste keer dat vrouwen aan een dergelijke bijeenkomst deelnamen.

Prins Alberts hartstochtelijke steun aan de antislavernijbeweging bood hem de ideale gelegenheid om zijn debuut in de Britse openbaarheid te maken en zou de toon zetten voor zijn eigen sociale en politieke agenda. Op 1 juni, vlak voordat de conventie begon, verklaarde hij zich bereid de functie van president van de bijeenkomst op zich te nemen en de jaarvergadering van de *Society for the Extinction of the Slave Traffic and the Civilisation of Africa* in Exeter Hall voor te zitten. De organisatoren waren opgetogen dat de prins zijn naam wilde verbinden 'aan een dergelijk heilig doel, een duidelijk bewijs [...] van de intentie van de prins om zijn voorname positie in dienst van hogere doelen als menselijkheid en liefdadigheid te stellen'.

Zodra bekend werd dat de prins aanwezig zou zijn, deed iedereen van enige naam en faam zijn best om aan kaartjes te komen, waardoor de overvolle en rumoerige Exeter Hall 'wel wat weghad van een zitting van het parlement'. Albert had zijn toespraak in het Duits geschreven en met de hulp van Victoria vertaald; ook had hij hem enigszins nerveus samen met haar geoefend, voordat hij op weg ging naar het vierduizend man tellende gehoor.

Bij binnenkomst werd de prins verwelkomd met een donderend applaus, waarna hij 'zeer gedistingeerd en met slechts een heel licht buitenlands accent de zitting opende'.

*Maatschappij ten behoeve van de afschaffing van de slavenhandel en de civilisatie van Afrika

** In de Nederlandse overzeese gebiedsdelen werd de slaverij pas in 1863 afgeschaft.

1 juni 1840

Mij is gevraagd om de bijeenkomst van deze organisatie voor te zitten, vanwege mijn diepe overtuiging inzake het grote belang ervan voor de menselijkheid en gerechtigheid. [Applaus] Ik betreur ten zeerste dat Engelands welwillende en aanhoudende inspanningen om de verschrikkelijke handel in mensen af te schaffen, die tegelijkertijd Afrika verwoest en een vlek is op het blazoen van het geciviliseerde Europa, nog niet tot een bevredigende uitkomst hebben mogen leiden. Maar ik heb er alle vertrouwen in dat dit fantastische land niet zal rusten totdat het eindelijk en definitief een eind gemaakt heeft aan de situatie die zo in strijd is met de christelijke geest en zo ingaat tegen onze goedwillende natuur. [Gigantisch applaus] Laat ons er daarom op vertrouwen dat de Voorzienigheid onze rechtschapen inspanningen zal belonen en dat we onder leiding van onze koningin en haar regering op zeker moment dat grote en humane doel mogen bereiken, waarvoor we hier vandaag bijeengekomen zijn. [Luid en lang aanhoudend applaus]

Alberts toespraak tijdens de jaarvergadering van de Society for the Extinction of the Slave Traffic and the Civilisation of Africa, Exeter Hall, 1 juni 1840

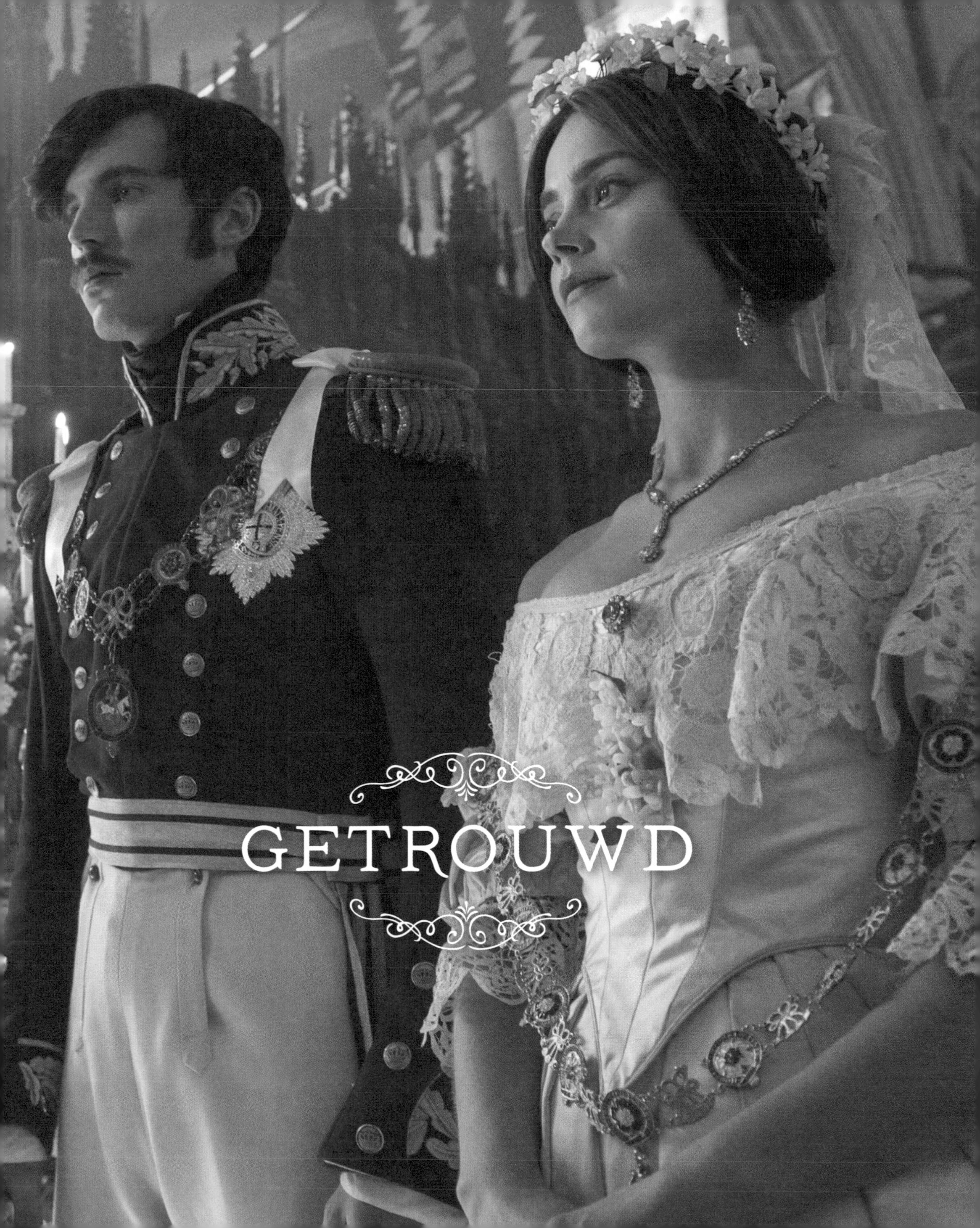

GETROUWD

'Hoe kan ik ooit dankbaar genoeg zijn om zo'n echtgenoot te hebben'

····VICTORIA····

Toen koningin Victoria op 10 februari 1840 trouwde met prins Albert van Saksen-Coburg en Gotha, was dit het eerste huwelijk van een regerende vorstin in Engeland sinds 1554, toen koningin Mary I met Filip II van Spanje trouwde. Victoria's grootvader George III was in 1761 de laatste regerende koning geweest die trouwde, maar zijn huwelijk met Charlotte van Mecklenburg-Strelitz had vooral dynastiek opportunistische redenen gehad. Deze keer was het anders: de mooie kleine koningin van Groot-Brittannië trouwde uit liefde. Toen haar gevraagd werd of ze als koningin voor het altaar wilde afzien van de belofte van gehoorzaamheid, was ze heel beslist geweest: 'Ik wil als vrouw trouwen, niet als koningin.'

Tot 1840 hadden koninklijke huwelijken 's avonds plaatsgevonden, in het bijzijn van slechts een klein aantal gasten, maar deze keer werd het tijdstip aangepast, zodat ook het gewone volk iets van de trouwstoet zou kunnen zien. Aanvankelijk had Victoria zich nog afgevraagd of ze niet beter in St. George's Chapel in Windsor konden trouwen, maar uiteindelijk werd besloten dat de inwoners van Londen de kans niet mocht worden ontnomen om getuige te zijn van deze gebeurtenis. Victoria had daarnaast privéredenen om voor de kleinere kerk van St. James's te kiezen. Nog altijd woedend over de Bedchamber Crisis en boos vanwege de aversie van het parlement tegen Albert had ze, op vijf trouwe leden na, alle tory's van de gastenlijst geschrapt, met een uitzondering voor de hertog van Wellington, die ze persoonlijk graag mocht. 'Het is MIJN huwelijk,' had ze tegen lord M. gezegd, 'en ik nodig alleen die mensen uit die het met mij eens zijn.'

MELBOURNE:
Zulke mensenmassa's voor uw huwelijk, mevrouw. Mijns inziens zou u in een open rijtuig van de Chapel Royal naar het paleis moeten rijden. Het zal de prins ook beslist goed doen om al die mensen voor hem te horen juichen.

De huwelijksdag van Victoria en Albert begon koud, nat en nevelig. Toen Victoria wakker werd in haar kamer in Buckingham Palace, was haar eerste gedachte dat 'dit de laatste keer was dat ik alleen sliep'. Tegen alle protocol in had ze die ochtend een korte privéontmoeting met Albert, voordat ze zich liet kleden in haar bruidsjurk.

Buiten op straat hadden haar enthousiaste onderdanen zich al sinds het ochtendgloren opgesteld langs de route van Buckingham Palace naar St. James's, net zoals ze gedaan hadden op de dag van Victoria's kroning, zo'n anderhalf jaar eerder. Tegen negen uur 'was de menigte tussen de beide paleizen al aanzienlijk; en om elf uur was het gedrang verontrustend', schreef journalist John Timbs, maar de stemming bleef opgewekt. Opnieuw was elk mogelijk uitzichtpunt bezet; jonge mensen klommen in bomen langs de route voor beter zicht, en sommigen raakten gewond toen de takken waarop ze zaten afbraken onder hun gewicht. En toen, toen iedereen al bijna verkleumd begon te raken, klonken 'de verlossende geluiden die het vertrek van de koningin van Buckingham Palace aankondigden':

> *Het lawaai van de vele trommels, het gedreun van de saluutschoten en het geschal van de fanfaretrompetten waren nog maar amper verstomd, toen de staatsiekoets met daarin Hare Majesteit onder de Marmerpoort door reed. De troepen presenteerden het geweer terwijl de koningin voorbijreed; de fanfare speelde het volkslied.*
>
> – *BRISTOL TIMES AND MIRROR*, FEBRUARI 1840

De Chapel Royal van St. James's was tot in de kleinste hoekjes gevuld met stoelen, de muren waren behangen met roodfluwelen slingers en de vloer was speciaal voor de gelegenheid bedekt met een scharlakenrood tapijt. Voor het met goud gedecoreerde altaar stonden vier vergulde stoelen met voetenbankjes. Vijfhonderd gasten zaten al twee uur lang dicht op elkaar gepakt en hadden 'twee uur lang zitten bibberen' totdat de ceremonie om één uur begon.

Prins Albert, geflankeerd door zijn vader en broer, zag er prachtig uit in zijn uniform van Britse veldmaarschalk, met getailleerd rood jacquet en witte kniebroek, dat zijn fraaie postuur goed deed uitkomen. Hij droeg het insigne van de Orde van de Kousenband, in edelstenen gezet en vastgemaakt aan twee satijnen rozetten op zijn rechterschouder, de kousenband zelf om zijn knie gebonden.

Onder trompetgeschal liep lord Melbourne voor de koningin uit richting het altaar, met in zijn handen het rijkszwaard. Victoria zag er bleek en gespannen uit, maar leek ook opgetogen, in haar witsatijnen trouwjurk met kanten stroken, bijpassende kanten sluier en een eenvoudige krans van oranjebloesem op haar hoofd. De aan haar middel bevestigde satijnen sleep werd gedragen door acht bruidsmeisjes; twee van hen waren nichtjes van Victoria's gunsteling, lord Alfred Paget. Prins Albert had erop gestaan dat alle bruidsmeisjes ongetrouwde jonge vrouwen van onberispelijke reputatie waren. Met witte rozen in hun haar en eenvoudige witte, tulen jurken, ontworpen door Victoria, 'zagen ze er, tussen al die prachtige kleuren en juwelen om hen heen, uit als dorpsmeisjes', zoals lady Lyttelton opmerkte.

VICTORIA:
Ik denk dat ik een witte trouwjurk wil.

Helaas was de sluier van de koningin iets te kort uitgevallen en een van de meisjes herinnerde zich later hoe 'we allemaal zo dicht op elkaar liepen dat we meer struikelden dan schreden, en constant op elkaars hielen en jurk trapten'.

Onderweg naar het altaar werd Victoria begeleid door haar moeder, gekleed in een witsatijnen, met zilver bestikte jurk, en een schitterende hertogin van Sutherland, die een japon van roze moiré droeg, bestikt met een patroon van zeewier en schelpen. Boven hen uit torende Victoria's oom, de hertog van Sussex, die haar weg zou geven; excentriek als hij was, had hij ervoor gekozen een zwarte kalot op zijn hoofd te dragen, omdat hij bang was dat hij anders kou zou vatten.

DE TROUWJURK

De eerste keer dat Victoria haar trouwjurk besprak met lord M., vertelde ze hem dat ze niet van plan was haar gebruikelijke zware, hinderlijke staatsiekleding te dragen. 'O, nee!' had hij beaamd, 'ik denk dat u veel beter wit kunt dragen.' Tot dan toe was het niet gebruikelijk geweest voor een koninklijke bruid – of welke bruid dan ook – om wit te dragen, maar een van Victoria's redenen om deze kleur te kiezen was omdat ze dan beter zichtbaar zou zijn voor haar volk, wanneer ze in haar koets naar St. James's Palace reed. Uiteraard zette ze met deze keus een trend. Voor die tijd was witte stof slechts zelden gebruikt, omdat de productie ervan te duur was en het moeilijk schoon te houden was. Zeker geen praktische keus voor arme bruiden dus, die dan ook meestal een gekleurde jurk droegen.

Victoria werd bekritiseerd vanwege haar keus voor wit, omdat meisjes en ongetrouwde vrouwen wit vaak als teken van rouw droegen. Ook beklaagden mensen zich over haar weigering om een meer vorstelijke jurk te dragen – met fluweel of hermelijn, met een mooie tiara. Maar Victoria maakte altijd haar eigen keuzes en hield daar koppig aan vast.

Vanaf het begin had ze erop gestaan dat haar jurk gemaakt zou worden van in Groot-Brittannië gemaakte stoffen, in dit geval wit satijn uit Spitalfields, met brede stroken Honitonkant uit Devon over de rok en aan de mouwen. De jurk was gedecoreerd met sinaasappelbloesems (een symbool van vruchtbaarheid), en daarbij droeg Victoria een halsketting en grote oorhangers van Turkse diamanten en een blauwsaffieren broche die Albert haar als huwelijkscadeau gegeven had. In haar eenvoudige bruidsboeketje waren mirtetakjes verwerkt – het symbool van eeuwigdurende liefde.

Het Honitonkant voor de jurk en sluier van de koningin was eigenlijk niet afkomstig uit Honiton zelf, maar uit het kleine dorpje Beer in Devon. Jane Bidney, een kantklosster uit Beer die in St. James's woonde, was vanuit Londen naar haar geboortedorp gestuurd om het team van tweehonderd vrouwen te begeleiden dat aan de kant werkte. De 460 pond die voor de kant betaald was (omgerekend naar nu meer dan twintigduizend pond) kwam net op tijd voor de kantkloshandel in Beer; zonder deze opdracht, zo schreef de pers, 'zou die de winter misschien niet overleefd hebben'.

Het patroon voor de kant was afkomstig van de Schotse kunstenaar William Dyce; de jurk zelf was het werk van hofkleermaakster Mary Bettans, die zo bang geweest was dat het kant en de jurk nagemaakt zouden worden, dat ze de patronen meteen nadat hij af was had laten vernietigen. Victoria was zo blij geweest met de kant, dat ze de makers ervan geld stuurde zodat die op de huwelijksdag een feestje konden vieren.

....

Linksonder: Victoria in haar trouwjurk in 1840

DE CEREMONIE ONTROERDE VEEL van de aanwezigen, onder wie de echtgenote van de Amerikaanse ambassadeur:

> *Beiden gaven hun antwoorden luid en duidelijk. Hoewel haar stem zeer zoet en zacht was, verstond toch iedereen in de kerk haar belofte om lief te hebben, te eren en te gehoorzamen; en toen hij haar beloofde haar altijd lief te hebben en te eren, keerde ze hem haar lieve en onschuldige gezicht toe en keek hem aan met een blik die iedereen die het zag de tranen in de ogen dreef.*
>
> ~BRIEF VAN SALLIE STEVENSON, ECHTGENOTE VAN DE AMERIKAANSE AMBASSADEUR, 19 FEBRUARI 1840

ALBERT:
Je zult me nooit kwijtraken. Mijn verlangen naar jou zal nooit overgaan. Een liefde als de onze kan een stad doen afbranden.

Eén aanwezige dame vond dat de prins 'wat gespannen en ongemakkelijk overkwam en dat zijn antwoord nogal gejaagd klonk'. Tegen het einde van de dienst viel het lady Lyttelton op dat de ogen van de koningin 'vol tranen stonden, maar dat van haar gezicht enkel geluk af te lezen was; en dat de blik waarmee ze de prins aankeek, vol vertrouwen en rust, toen ze samen als man en vrouw de kerk uit liepen, prachtig was om te zien'.

Victoria's eigen verslag, zoals ze het later in haar dagboek optekende, leek wat beïnvloed door alle emoties van die dag en voor één keer leek ze geen woorden te kunnen vinden:

> *De ceremonie was zeer indrukwekkend en mooi en eenvoudig, en zou denk ik iedereen die in het huwelijk treedt ervan moeten overtuigen zich aan zijn of haar beloftes te houden. Die allerliefste Albert herhaalde alles zeer duidelijk. Ik voelde me zo gelukkig toen hij mij de ring omdeed.*
>
> ~VICTORIA'S DAGBOEK, 10 FEBRUARI 1840

Victoria ging de hele dag zo op in Albert, dat ze haar moeder amper waarnam. Het laatste moederlijke gebaar van de hertogin die dag was dat ze haar dochter tijdens de voorbereidingen het boeketje van sinaasappelbloesems in de hand gedrukt had. Daarna was ze uit beeld verdwenen. Op iedereen die haar tijdens de dienst wel had zien staan, had ze een wat desolate en verdrietige indruk gemaakt; ze leek duidelijk te lijden onder de vervreemding van haar dochter, die zich van haar losgemaakt had. Nu haar dierbaarste hofdame, lady Flora Hastings, er niet meer was en haar vertrouwenspersoon Conroy het land verlaten had, leek de hertogin eenzamer en meelijwekkender dan ooit.

HER MAJESTY'S BRIDAL CAKE.

DE BRUIDSTAART

De rijkversierde taart voor de bruiloft was niet, zoals in de televisieserie, gemaakt door Victoria's chef-kok Francatelli, maar een creatie van John Chichester Mawditt, chef-banketbakker van Hare Majesteit, die werkte op Buckingham Palace. De taart was het schitterende pronkstuk van het huwelijksontbijt en was met zijn gewicht van 135 kilo en productiekosten van honderd guineas de meest luxueuze taart die ooit op het paleis gemaakt was.

Bij het maken van de taart was behoorlijk wat vakmanschap komen kijken – zoals in een verslag uit die tijd terug te lezen is:

> *De taart overtrof al zijn rivalen en überhaupt welke bruidstaart dan ook, zowel wat smaakvol en vakkundig ontwerp betrof als in grootte. De basis had een omtrek van 2,7 meter en was veertig centimeter hoog. Hierbovenop stonden twee sokkels, waarvan de bovenste weer een volgende laag ondersteunde, van waarop Lady Britannia neerkeek op het koninklijke paar, dat net de huwelijksgelofte aflegde. Aan hun voeten zaten twee tortelduiven, symbolen van liefde en puurheid, en een hond, als teken van een stabiele verbintenis. Iets verder naar beneden schreef Cupido met een griffel de huwelijksdatum op zijn lei: 10 februari 1840. Op dezelfde hoogte stonden op regelmatige afstand van elkaar zwarte zuilen, met daarop nog meer cupido's, die de wapenschilden van Engeland, Schotland en Ierland vasthielden en grote medaillons met de initialen V.A.; elke zuil had een prachtige rand, versierd met arabesken, de onderste met afwisselend kransen en cupido's in reliëf, met de initialen V.A. in het midden van elke krans. De verschillende plateaus van de taart waren versierd met slingers van sinaasappelbloesem, mirte en rozen, waarvan ook enkele losse takjes op elk stukje taart gelegd werden. Een brede rand van sinaasappelbloesem, rozen en mirte was smaakvol rondom de onderste laag van de taart gedrapeerd. Het geheel rustte op een karmijnrood fluwelen kleed.*
>
> –Uit: *Anecdotes, Personal Traits and Characteristic Sketches of Victoria the First*, door 'a Lady', 1840

Mawditt bleef in de jaren '40 nog vele prachtige en inventieve verjaardags-, doop- en kersttaarten voor de koninklijke familie maken.

....

Linksonder: Bruidstaart voor Victoria en Albert, 1840

Nadat ik een tijdje in onze kamers rondgekeken had, kleedde ik mij om en liep terug naar zijn kleine zitkamer, waar die liefste Albert zat te spelen; hij had zijn Windsor Coat* aangetrokken; hij trok me op zijn schoot en kuste me en hij was zo lief en teder. We kregen ons diner in de zitkamer geserveerd; maar ik had zoveel hoofdpijn dat ik niets kon eten en de rest van de avond liggend op de sofa in de middelste blauwe kamer moest doorbrengen. Maar ziek of niet, nog nooit, nooit heb ik zo'n avond beleefd! Mijn liefste, allerliefste lieve Albert zat op een krukje aan mijn zijde en zijn grenzeloze liefde en genegenheid gaven mij een hemels gevoel van liefde en geluk, waarvan ik nooit had durven dromen! Hij nam me in zijn armen en we kusten elkaar keer op keer! Zijn schoonheid, zijn liefheid en zijn vriendelijkheid – hoe kan ik ooit dankbaar genoeg zijn zo'n echtgenoot te hebben! Om iets na 10en ging ik me uitkleden en moest ik vreselijk overgeven, en om 20 min. over 10 gingen we allebei naar bed (in één bed uiteraard). Naast hem te liggen en in zijn armen en op zijn lieve borst en zulke koosnaampjes te horen, die nog nooit iemand tegen mij gezegd heeft – was een onvoorstelbare gelukzaligheid! O! dit was de gelukkigste dag van mijn leven – Moge God mij helpen mijn plicht te vervullen, zodat ik dergelijke zegeningen waardig zal zijn!

Victoria's dagboek, 10 februari 1840

VLAK VOORDAT ZE VERTROK voor haar korte, driedaagse huwelijksreis naar Windsor, nam Victoria afscheid van lord Melbourne. Ze brachten tien minuten samen door. 'Het had niet mooier kunnen verlopen,' vertelde hij haar over het huwelijksfeest. Victoria was geroerd over hoezeer het volk meegevierd had. Dat was, zo verzekerde hij haar, omdat de mensen wisten dat dit huwelijk 'niet enkel uit landsbelang' gesloten was. Lord M. leek vermoeid en nog droefgeestiger dan normaal. 'God zegene U, mevrouw,' zei hij, voordat Victoria en Albert naar Windsor vertrokken, wetende dat de tijd van zijn exclusieve en vertrouwelijke contact met Victoria nu voorgoed voorbij was.

Ook Victoria was zich bewust dat ze afscheid nam van de twee mensen die haar tot dan toe het meest na hadden gestaan in het leven, zoals ze in haar dagboek schreef: 'We namen afscheid van mama en vertrokken tegen vieren; alleen ik en Albert.' Maar het plaatsen van haarzelf – als koningin – voor Albert zou niet lang duren. Binnen drie maanden begon Albert te klagen over het feit dat hij tweede viool speelde: 'Ik ben slechts de echtgenoot, in plaats van de heer des huizes,' zei hij tegen Victoria. Het was het begin van een machtsstrijd, die er al snel voor zou zorgen dat zijn bureau naast dat van Victoria geplaatst werd. Het 'ik' veranderde in 'wij'.

ALBERT:
Begrijp dat alles waarom ik vroeg was zodat ik iets van mezelf kon hebben – mijn eigen positie, mijn vrijheid. De kans om iets goeds te doen.

HOEWEL DE DAGBOEKEN VAN de koningin na haar dood zorgvuldig geredigeerd werden door haar dochter Beatrice, is er van haar verslag van de huwelijksnacht nog genoeg overgebleven om duidelijk te maken hoe gelukkig Victoria was met haar huwelijk.

* Het 'Windsor Costume', waarvan Albert hier blijkbaar alleen het jasje droeg, is een speciaal uitgevoerd kostuum dat voorbehouden is aan mannelijke leden van de koninklijke familie en de hoogste leden van de hofhouding, en wordt alleen op Windsor Castle gedragen. Het is een avondkostuum.

De volgende ochtend verschenen Victoria en Albert, tot ieders verrassing, om half negen alweer op het terras om te genieten van de frisse ochtendlucht. Victoria kon zich amper lang genoeg van Albert losmaken om een kort briefje aan Melbourne te schrijven, waarin ze hem meedeelde dat het een 'uiterst bevredigende en verwarrende nacht' geweest was, en een euforische brief aan haar oom Leopold, waarin ze zichzelf omschreef als 'het gelukkigste, gelukkigste wezen dat ooit bestaan heeft'. Albert was 'een engel'; zijn vriendelijkheid en genegenheid waren 'werkelijk ontroerend. In die lieve ogen en dat lieve, zonnige gezicht te kijken is genoeg voor mij om hem te aanbidden,' bekende ze.

Zes dagen na haar huwelijk schreef Victoria zoals gebruikelijk weer in haar dagboek. Op de laatste bladzijde van een zoveelste, in leer gebonden boekje schreef ze dit:

> *Hier eindigt mijn achtentwintigste dagboek, waarin de herinneringen aan de meest interessante en gelukkige tijd uit mijn leven staan.*
>
> –Victoria's dagboek, 16 februari 1840

EMMA PORTMAN:
Ik geloof niet dat ik ooit een gelukkiger bruid gezien heb. Volgens mij houdt ze echt van hem.

MELBOURNE:
Ik geloof het ook.

Je hoeft niet heel goed tussen de regels door te lezen om te concluderen dat Victoria van haar wellustige Hannoveriaanse voorouders het plezier in de vleselijke lusten geërfd had, in plaats van een verlammende angst ervoor; ze leek ten volle te genieten van haar leven als seksueel contente vrouw. Het laatste wat ze daarom wilde, zo snel na het huwelijk en de ontdekking van de geneugten van de echtelijke sponde, was zwanger worden. Maar in een tijd van vrijwel afwezige seksuele voorlichting en gebrek aan effectieve voorbehoedsmiddelen, was er weinig wat een onervaren bruid kon doen om dit te voorkomen.

Tijdens een gesprek met lord M. in december 1839 had hij haar verteld dat 'huwelijksgeluk gelijkstaat aan veel kinderen krijgen'. Victoria was vol afgrijzen teruggedeinsd en had geantwoord dat 'dat nu juist het enige was waar ik tegenop zag'. In latere jaren schreef ze hoe ze gehoopt en gebeden had dat 'deze beproeving' haar nog enige tijd bespaard zou blijven. 'Wanneer ik een jaar van geluk met die lieve papa voor mij alleen gehad had – wat zou ik dan dankbaar geweest zijn.' Maar in plaats daarvan moest ze tot haar ontsteltenis vaststellen dat 'ik meteen de klos was; ik was woedend'.

Het lijkt erop dat Victoria binnen een maand na haar huwelijk al zwanger was en hoewel het hofprotocol niet toestond dat dit bekendgemaakt werd en er halsstarrig gezwegen werd over haar toestand, hield iedereen haar met argusogen in de gaten.

De eerste geruchten verschenen in de roddelrubrieken, nadat gebleken was dat de koningin geen buitenritten meer maakte op haar paard (op advies van dokter Clark). 'Dit wees,' schreef *The Morning Post,* 'op een gezondheidstoestand die deed vermoeden dat "de hoop van een natie" misschien gauw in vervulling zou gaan.' De pers in die dagen beleefde gouden tijden met het schrijven van dergelijke min of meer respectvolle toespelingen.

TIJDENS EEN BAL niet veel later viel op dat de koningin 'slechts zeer weinig danste en dit zeer behoedzaam deed'. En tijdens de laatste Drawing Room van het seizoen had ze haar gasten niet staand maar zittend ontvangen. Aanwezige dames met een scherpe blik hadden een verbreding van de koninklijke taille en een wat zwaarder postuur vastgesteld. Conclusie was dat de koningin zich in 'die toestand bevond waarin lady's die van hun lords houden zich graag willen bevinden'. De Dublinse krant *The Freemans Journal* vermeldde het op 25 maart nog wat onverbloemder, toen die onthulde dat iemand die deelgenomen had aan de laatste Levée van mening was dat 'ALLES erop wees dat Hare Majesteit aardig op weg was om de Brunswijkse [in dit geval Hannoveriaanse] lijn voort te zetten'.

HERTOGIN:
Een op de drie zwangere vrouwen overlijdt, Drina. Een op de drie.

De officiële bekendmaking van de koninklijke zwangerschap kwam vier dagen na de aanslag door Edward Oxford, toen *Bell's New Weekly Messenger* op 14 juni kopte: THE QUEEN ENCEINTE. Zelfs een rioolblad als *Bell's* was destijds nog zo terughoudend dat het het Franse woord *enceinte* gebruikte, in plaats van 'zwanger':

> *De gebeurtenis waarnaar Hare Majesteit en haar volk met zoveel vreugde uitzien, zij het ook met een zekere angst, is inmiddels dagelijks onderwerp van gesprek geworden. Er wordt zelfs al vertrouwelijk beweerd dat enkele voorzorgsmaatregelen getroffen zijn en dat dokter Locock, de vooraanstaande verloskundige (die ook de hertogin van Sutherland bijstond toen ze zich in vergelijkbare omstandigheden bevond), reeds de belangrijke verantwoordelijkheid toevertrouwd is om de gezondheid van Hare Majesteit in de gaten te houden en haar bij te staan tijdens de komende gebeurtenis.*
>
> – *BELL'S NEW WEEKLY MESSENGER, 14 JUNI 1840*

OXFORDS AANSLAG HAD opnieuw aangetoond dat het de hoogste tijd werd dat het parlement een regent zou aanwijzen, voor het geval dat de koningin vermoord zou worden of in het kraambed zou overlijden. Victoria zelf liet weten dat ze in het geval van haar dood Albert als regent wilde, zoals haar oom Leopold tijdens de zwangerschap van zijn vrouw Charlotte, prinses van Wales, ook voorgedragen was.

Achter de schermen probeerde prins Alberts voormalige leraar en adviseur baron Stockmar, vanaf het moment dat Victoria's zwangerschap bekendgemaakt was, ook al stilletjes toe te werken naar een benoeming van zijn beschermeling tot enige regent. In een poging vernederende parlementsdebatten zoals die over Alberts financiële toelage te vermijden, had Stockmar contact opgenomen met sir Robert Peel en Wellington. Zijn standpunt was dat 'de regent niemand anders dan de prins kon en mocht zijn'. Het aannemen van de *Regency Bill* [de Regentschapswet] op 16 juli was een belangrijk moment voor Albert, in een periode waarin hij nog wat onzeker was over zijn rol. Triomfantelijk schreef hij zijn broer Ernst: 'Ik word de regent, zij het regent zonder raad.'

De volgende dag bevestigde *The London Gazette* de aanstelling van dokter Charles Locock als lijfarts en verloskundige, samen met nog twee dokters: Robert Ferguson als tweede lijfarts en Richard Blagden als chirurg-verloskundige. Vanaf dat moment zou Victoria zich als gevolg van haar vorderende zwangerschap steeds minder in het openbaar laten zien. Zwangere koninginnen stelden zichzelf niet graag tentoon. Ook de uitgerekende datum bleef een raadsel, hoewel de roddelrubrieken het op de eerste week van december hielden.

⚜ ⚜ ⚜

Maar op 20 november, om ongeveer negen uur 's avonds, zetten bij Victoria de weeën in, 'enkele dagen eerder dan verwacht'. Mevrouw Mary Lilly, een kraamverpleegster, was op aanraden van de hertogin van Sutherland al aangesteld om de koningin voor en na de geboorte bij te staan en nu werd ook dokter Locock erbij gehaald.

De kranten hongerden naar details over de geboorte van het eerste kind van de koningin; één krant schreef later, op basis van goede connecties aan het hof, dat 'Hare Majesteit tijdens de bevalling een ongelooflijke onverschrokkenheid en zelfbeheersing getoond had – en zich af en toe bijna vrolijk en geduldig aan de pijn overgegeven had, geheel in stijl met haar karakter'. Prins Alberts bijdrage was blijkbaar voorbeeldig geweest, hij had haar 'liefdevol en dapper ondersteund'. Om tien voor twee in de middag van de 21e november zag een klein meisje, de Princess Royal*, het levenslicht.

*De eerstgeboren dochter van het Britse staatshoofd wordt altijd Princess Royal genoemd.

GEHEEL VOLGENS TRADITIE had zich een groepje hooggeplaatste personen in een aangrenzende kamer verzameld: de hertogin van Kent, de aartsbisschop van Canterbury, de bisschop van Londen, de Lord Chancellor, lord Melbourne en andere lords en de Privy Counsillors, 'wier constitutionele plicht het was om aanwezig te zijn bij de geboorte van een troonopvolger'. Allemaal verzamelden ze zich gespannen rondom de verpleegster van de baby, mevrouw Pegley, toen die…

> *… de kamer binnenkwam […] met in haar armen de 'jonge vreemdeling', een prachtig, mollig en gezond prinsesje, gewikkeld in een flanellen doek […] Hare Koninklijke Hoogheid werd even op een tafel gelegd om door de verzamelde autoriteiten bekeken te kunnen worden; maar gezien haar luide kreten van ongenoegen over deze gang van zaken, hoewel een bewijs van gezonde longen en goede lichamelijke conditie, leek het toch raadzaam haar weer terug naar haar kamer te brengen om voor het eerst aangekleed te worden.*
>
> – *THE CUMBERLAND PACQUET*, 1 DECEMBER 1840

Dit was vrijwel de enige anekdote over de koninklijke geboorte die via de Britse pers naar buiten kwam. Onder de kop VERLOSSING VAN DE KONINGIN op 28 november klaagde *The Standard* dat ze:

> *… alles in het werk gesteld hadden om informatie, hoe onbeduidend ook, over deze belangrijke en interessante gebeurtenis te verkrijgen, maar dat het paleis zich in het diepste stilzwijgen gehuld had. Het personeel had instructies gekregen om geen uitspraken te doen over het onderwerp en niet te antwoorden op vragen, van wie die ook afkomstig waren.*
>
> – *THE STANDARD*, 28 NOVEMBER 1840

Een traditie die tot op de dag van vandaag in stand gehouden wordt.

Hoewel het kindje van Victoria drie weken voor de uitgerekende datum geboren was, was het groot en gezond. Maar 'helaas! was het een meisje en geen jongen, waarop we allebei zo gehoopt hadden'. Victoria wond geen doekjes om haar teleurstelling, maar liet haar hoofd niet heel lang hangen. 'Geeft niet,' zei ze tegen dokter Locock, 'de volgende zal een prinsje zijn.'

DE KONINKLIJKE MIN

De aanstelling van een min voor Victoria's kinderen was een extreem discrete aangelegenheid, waarbij kandidaten uitsluitend op persoonlijke aanbeveling op het hof werden uitgenodigd. De min die door Victoria werd aangenomen voor de koninklijke prinses – we kennen slechts de namen van drie van de minnen die ze voor haar negen kinderen inhuurde – was Jane Ratsey, echtgenote van een zeilmaker uit Cowes op het eiland Wight. Haar eigen baby, Restella Jane, was geboren op 25 oktober 1840, een maand eerder dan de prinses.

De *Windsor and Eton Express* schreef:

> *Een koninklijke bode werd met spoed [...] naar meneer Charles Day gestuurd, arts in Cowes, om mevrouw Jane Ratsey, echtgenote van meneer Restell Ratsey, woonachtig aan Medina Terrace, West Cowes, mede te delen dat ze was aangesteld als min van de koningin en dat ze per direct naar Londen diende te komen [...] Een meer geschikt persoon voor deze functie had men waarschijnlijk niet kunnen kiezen [...] Het was de uitdrukkelijke wens van Hare Majesteit dat haar min uit de omgeving van Cowes afkomstig zou zijn, omdat haar tijdens haar verblijf op het eiland Wight was opgevallen hoe gezond de vrouwen en kinderen aldaar waren en omdat haar eigen gezondheid ook zo gebaat geweest was bij haar bezoekjes aan dit prachtige eiland.*
>
> – WINDSOR AND ETON EXPRESS, 28 NOVEMBER 1840

Rechts: De koninklijke familie in 1846

Ik pak mijn dagboek weer op, dat even onderbroken was door mijn kraambed, om zo goed als ik me kan herinneren en aan de hand van korte aantekeningen wat te schrijven. Kort voor de vroege ochtenduren van de 21e voelde ik me zeer oncomfortabel en wist ik met moeite Albert wakker te maken, die na een tijdje Clark liet komen. Die arriveerde om half 3 en Albert nam hem mee naar de slaapkamer. Clark zei dat hij naar Locock zou gaan. Probeerde weer te slapen, maar tegen vieren voelde ik me echt slecht en beide artsen kwamen. Mijn geliefde Albert was zo lief voor me. Volgens Locock was de baby onderweg en was alles in orde. We waren allebei blij dat het moment daar was en ik voelde me helemaal niet nerveus. Na heel wat pijnlijke uren werd om 2 uur 's middags een perfect klein kindje geboren, maar helaas! was het een meisje en geen jongen, waarop we allebei zo gehoopt hadden. Ik moet toegeven dat we teleurgesteld waren, maar toch waren onze harten vervuld van dankbaarheid, omdat God mij veilig door deze beproeving geleid had en we zo'n sterk en gezond kind gekregen hadden. Die liefste Albert week bijna geen moment van mijn zijde en was een enorme steun en toeverlaat. Toen hij naar de ministers ging en mevrouw Pegley de baby naar de kamer bracht waarin ze zich allemaal verzameld hadden, kwam die lieve Lehzen even bij me kijken. Ook mijn lieve mama kwam en was zeer opgelucht en blij. Albert at een verlate en haastige lunch, waarna hij om 4 uur naar de raad vertrok. Ik voelde me redelijk goed en had geen enkele pijn. At wat en sliep toen lang en diep. – Ik werd wakker op de 22e, na heerlijk geslapen te hebben en voelde me zo goed, alsof er niets gebeurd was. Had een gezonde honger. Mama kwam weer even langs en ook Lehzen en Stockmar lieten zich een ogenblikje zien. Het lieve kleine babytje werd een aantal keer bij me gebracht en verschillende mensen hebben haar gezien, Albert toonde haar. – De daaropvolgende dagen verliepen rustig en op dezelfde manier en langzaamaan mocht ik weer wat meer doen. Ik heb een min voor de baby, ene mevrouw Ratsey, een geschikte jonge vrouw, echtgenote van een zeilmaker in Cowes, op het eiland Wight.

–Victoria's dagboek, 1 december 1840

ROLL #:
B47
SCENE:
1:120
DIR: TOM
D.O.P.
DATE: 4th

ACHTER DE SCHERMEN

Wanneer wij kijkers een nieuw kostuumdrama zien op televisie, dan zijn het meestal de visuele dingen – de set, de kostuums en de locaties – die de aandacht trekken. Maar voordat zo'n nieuw drama in productie kan gaan, moet er een script zijn. En nog voordat dat geschreven kan worden, moet er een zeker verband zijn tussen het onderwerp en de persoon die het verhaal geschikt gaat maken voor televisie.

In het geval van *Victoria* was het de relatie met haar jongste dochter die scriptschrijfster Daisy Goodwin op het idee bracht om een televisiedrama over de jonge jaren van koningin Victoria te schrijven.

In 2015 werkte Daisy aan haar derde roman, over het leven aan het hof van koningin Victoria. Na enig onderzoek realiseerde ze zich dat ze, ondanks alles wat ze al over haar geschreven had, nog steeds niet alles wist over Victoria, en dan met name over haar jaren als jonge koningin. Na het lezen van haar levendige en gedetailleerde dagboeken wist Daisy zeker dat de persoonlijkheid van de wispelturige, pittige tiener Victoria zich bijzonder goed zou lenen voor een televisiedrama. De doorslag gaf de volgende ervaring:

> *Ik had een felle discussie met mijn tienerdochter, die net als Victoria klein maar stoer is, en vroeg me af hoe het zou zijn als zij van de ene op de andere dag de machtigste vrouw ter wereld zou worden. Want dat was natuurlijk wat er in 1837 met Victoria gebeurde, toen haar oom overleed. Daarna kreeg ik dat beeld van die tienerkoningin niet meer uit mijn hoofd.*
>
> – Daisy Goodwin, scriptschrijfster

DOOR ZICH TE VERPLAATSEN in Victoria als tiener besefte Daisy dat ze een nieuw en onthullend beeld van haar leven en haar overgang van prinses naar koningin zou kunnen schetsen. Hoewel ze al jaren bij de televisie werkte als producente van documentaires, zou dit haar eerste poging tot het schrijven van een dramaserie worden. Voor Daisy bestond een goed televisiedrama vooral uit het uitdiepen van relaties en het vertellen van de emotionele waarheid achter een verhaal. Om de kijkers echt bij een verhaal en de personages te betrekken is tijd nodig en Daisy wilde vooral die tijd krijgen om de relaties van Victoria met de mensen die dicht bij haar stonden – Melbourne, Albert, haar moeder – over een langer tijdsbestek te volgen, langer dan gebruikelijk is voor een televisieserie of -film. Het was Daisy's streven om:

> *... een imperfecte jonge vrouw te laten zien die met vallen en opstaan leert hoe ze koningin moet zijn [...] Haar bevrijden van het ontzag inboezemende aura waardoor koninklijke figuren op film vaak zo saai overkomen, en een jonge vrouw laten zien die worstelt met haar verantwoordelijkheden. Victoria was gepassioneerd en impulsief en tijdens de eerste jaren van haar bewind maakte ze heel wat blunders en fouten.*
>
> ~DAISY GOODWIN, SCRIPTSCHRIJFSTER

Deze gedachte zorgde ervoor dat haar eerste idee voor een televisieserie algauw veranderde in iets veel persoonlijkers en intiemers, waarin alleen de eerste vier jaar van Victoria's bewind belicht werden. Op deze manier kon Daisy zich vooral concentreren op Victoria's relatie met lord Melbourne, die in haar ogen bepalend was voor het verhaal van haar beginjaren als koningin:

> *In de meeste biografieën wordt de intensiteit van hun vriendschap afgezwakt [...] maar als je haar dagboeken leest, die na haar dood door haar jongste dochter geredigeerd werden, dan wordt zelfs uit de overgebleven passages duidelijk dat de tienerkoningin behoorlijk verliefd was op de charmante 'lord M.', zoals zij hem noemde.*
>
> ~DAISY GOODWIN, SCRIPTSCHRIJFSTER

VICTORIA
B 198
108
1
47
SANDRA GOLDBACHER
JOHN LEE
B
20th FEBRUARY 2016

Voor het eerst in welke dramatisering van Victoria's leven dan ook, verdiepte Daisy's script zich echt in Victoria's relatie met lord Melbourne. En dan was deze productie ook nog eens gezegend met een perfecte casting, getuige het enorm gevoelige en subtiele spel van Jenna, en van Rufus Sewell als Melbourne. Jenna Coleman was vanaf het begin de eerste keus voor de rol van Victoria. Koningin Victoria was slechts één meter negenenveertig en moest dus door een kleine sierlijke actrice gespeeld worden die niet alleen haar kwetsbaarheid, maar ook haar sterke passie kon uitbeelden.

NAAST DAISY'S UITDAGING om het script voor *Victoria* te schrijven, stond productiemaatschappij Mammoth Screen voor haar eigen uitdagingen: het creeëren van het Engeland in de jaren dertig van de negentiende eeuw, waarbij het vinden van een vervanging van de hoofdlocatie van het verhaal, Buckingham Palace, waar uiteraard niet gefilmd kon worden, het grootste probleem vormde.

We hadden natuurlijk een of meerdere grote, statige landhuizen kunnen nemen en proberen die op het paleis te laten lijken, maar filmen op locatie in landhuizen is meestal heel lastig. En dus besloot ik dat er een set moest komen. Als je alles onder controle wilt hebben, lukt dat beter op een set. Bovendien kun je dan vaak meer scriptpagina's per dag draaien. Wel moesten we in het draaischema ruimte hebben voor massascènes, zoals bruiloften, waarbij we misschien per dag maar een minuut aan bruikbaar materiaal konden schieten. -PAUL FRIFT, SERIEPRODUCER

WANNEER JE HET TERREIN van het vliegveld *Leeds East* op rijdt, in het kleine gehucht Church Fenton in Yorkshire, lijkt de pracht en praal van Buckingham Palace behoorlijk ver weg. Behalve over twee enorme hangars beschikt deze voormalige RAF-basis over een kleine startbaan, met aan weerszijden lage grijze gebouwen, een parkeerplaats en een gammel uitziende verkeerstoren. Maar achter de deuren van hangar nummer 1 wacht een schitterende verrassing, die de kijkers terugbrengt naar de prachtige galerijen, slaapkamers en salons van een koninklijk paleis in 1837.

De set van Buckingham Palace is het werk van ontwerper Michael Howells, wiens eerdere werk te zien was in films als *Nanny McPhee, Bright Young Things* en *Emma.*

Wanneer je Buckingham Palace als set wilt nabouwen, heb je een buitengewone ontwerper nodig en die hebben we gevonden in Michael. Niet alleen heeft hij ervaring met films en televisie, maar ook met theater, en hij organiseert zelfs feesten voor de zeer rijken – al die ervaringen bracht hij mee en het resultaat is adembenemend.

-PAUL FRIFT, SERIEPRODUCER

MICHAEL BEGON aan zijn werk voor *Victoria* in de zomer van 2015 en na zeven weken bouwen was de set af en klaar voor de elf draaiweken. 'Ik geef toe dat we in sommige kamers nog schilderijen stonden op te hangen nadat het filmen begonnen was,' onthulde artdirector Fabrice Spelta, de rechterhand van Michael tijdens de bouw. 'Maar uiteindelijk is het allemaal gelukt.'

⚜ ⚜ ⚜

HOEWEL ER GEEN afbeeldingen bestaan van de koninklijke appartementen in Buckingham Palace in 1837, is de voor de serie samengestelde, luxueuze inrichting tot op het kleinste detail accuraat voor deze periode. Het georgiaanse behang werd gereproduceerd en de tapijten werden speciaal vervaardigd en bedrukt met patronen uit die tijd. De goudkleurige stoelen en rijkelijk vergulde tafels die overal staan, werden in opdracht gemaakt en ter plekke met de hand gelakt. De schilderijen werden door kunstenaars geschilderd.

> *We hadden heel veel schilderijen nodig voor het paleis en dat kan een behoorlijke kostenpost worden. Daarom bestelden we voor de portretten, waaronder die van koning George III en Victoria's vader, de hertog van Kent, afdrukken bij de Royal Collection, die we lieten uitvergroten en inlijsten.*
>
> ~MICHAEL HOWELLS, PRODUCTION DESIGNER

Elektrische verlichting bestond nog niet toen koningin Victoria de troon besteeg en gasverlichting was destijds enkel nog als proef in enkele delen van het paleis geïnstalleerd, waardoor de ruimtes bijna uitsluitend verlicht werden door kaarsen:

> *We hadden ingeschat dat we ongeveer vierhonderd kaarsen per dag nodig zouden hebben, maar op sommige dagen waren het er wel negenhonderd. We bestelden ze per duizend bij een geweldige man in Cumbrië, die ze nog met de hand maakt. Voor de zekerheid hadden we continu iemand op wacht staan voor het geval de hele boel in vlammen op zou gaan, omdat er zo veel kaarsen waren, vooral wanneer we een balscène opnamen.*
>
> ~MICHAEL HOWELLS, PRODUCTION DESIGNER

VICTORIA'S SLAAPKAMER in de serie is in blauwgroene tinten met zilver uitgevoerd. De kamer wordt gedomineerd door een reusachtig verhoogd hemelbed met weelderig geborduurde gordijnen om de donkerhouten posten heen. In het midden staat een bekleed bankje en op de in een rij opgestelde vier stoeltjes zitten vier van de poppen waarop Victoria, zelfs als volwassene nog, zo gek was.

> *Veel decorstukken waren gehuurd, maar we hebben ook veel gekocht, waarvoor we heel wat veilingen bezocht hebben, op zoek naar mooie georgiaanse stukken, zoals prachtige kasten van donker hout voor in de slaapkamer. Het bed was afkomstig uit Tsjechië.*
>
> – MICHAEL HOWELLS, PRODUCTION DESIGNER

Het behang was een kopie van een ontwerp uit 1809 en de wandpanelen werden volgens het zogenaamde *verre églomisé*-procedé* gemaakt, en met echt bladzilver werd een authentieke glans aan de kamer gegeven.

Voor de ramen werden gordijnen van Chinese zijde gehangen. 'Hoewel ze er heel luxueus uitzagen, was het eigenlijk heel goedkope zijde uit China,' aldus Michael. 'We hebben een bijzonder handige mevrouw, die alle gordijnen en draperieën voor de hele set naaide, en dat allemaal in negen weken.'

❧ ❧ ❧

HET HOGE PLAFOND in Victoria's zitkamer uit de serie wordt verlicht door enorme kroonluchters met honderden kaarsen. 'Dat zijn dubbele kroonluchters,' legde Michael Howells uit. 'We hingen twee kroonluchters boven elkaar, omdat ze anders niet groot genoeg waren. Deze zijn elektrisch, verlicht met kaarsvormige lampjes, maar in de tijd van Victoria stonden er echte kaarsen in.'

De wanden van de kamer hangen vol schilderijen, overal staan reusachtige vazen op hoge gouden corbels – kunstig gevormde consoles met daarop ornamenten–, en imposante zuilen zorgen voor een bijzondere sfeer. Maar de overdaad aan gouden ornamenten en versieringen en marmeren pilaren was slechts schijn. 'Die pilaren waren van karton, tot een zuil opgerold en vervolgens gemarmerd,' vervolgde Michael. En het schild met het indrukwekkende familiewapen boven de deur was 'een speelgoedschild dat ik in een tweedehandswinkel gekocht had en beplakt met bladgoud'.

*'Verre églomisé' was een techniek waarbij op de achterkant van glas een afbeelding werd geschilderd, die je vervolgens aan de voorkant door het glas heen zag schijnen.

FRANCATELLI'S KEUKEN

FERDINAND KINGSLEY KON in zijn rol van chef-kok Francatelli al zijn kooktalent inzetten – met een beetje professionele hulp.

Ik kan best redelijk koken, maar in een oude keuken als die van Harewood is het wel een ander verhaal. Mijn eigen kooktalent was meestal zo'n dertig seconden goed genoeg, tussen de woorden 'action' en 'cut'. We maakten bacon met erwten en munt voor de koningin, een van [Francatelli's] recepten, en bakten allerlei geweldige taarten en andere zoetigheden, aangezien hij een fantastische chocolatier en taartenbakker was.

We maakten dan ook veel met chocolade, waaronder een complete ananas gedipt in chocolade, chocoladebommen, en we smolten chocolade om warme chocomelk van te maken.

En dan waren er nog de ingewikkelde suikerglazuurdecoraties – waarbij ik overigens wel wat geholpen werd – zoals de initialen van Victoria en Albert, en heel veel versieringen van bladgoud. De artistieke afdeling was geweldig en we hadden een geniale huishoudkundige, die ervoor zorgde dat alles er echt uitzag. Maar niemand at iets van wat ik gemaakt had, en al helemaal niet het vlees, dat ik telkens weer opnieuw klaar moest maken. Dat had waarschijnlijk niemand overleefd!

~FERDINAND KINGSLEY, DIE FRANCATELLI SPEELT

KASTELEN EN LANDHUIZEN

RABY CASTLE

HET IN DE VEERTIENDE EEUW GEBOUWDE Raby Castle, gelegen in een tachtig hectare groot park met herten, werd uitgekozen als het fictieve Chillingham Hall, een van de oudste buitenplaatsen van het land, waaraan Victoria en Albert een bezoek brengen.

Raby Castle was onze hoofdattractie, waarvoor we een behoorlijke afstand af moesten leggen. Het land was oorspronkelijk eigendom van koning Knoet. Oud geld dus, en dat zie je.

-JIM ALLAN, LOCATIEMANAGER

WENTWORTH WOODHOUSE

DIT ACHTTIENDE-EEUWSE GEBOUW vlak bij Rotherham heeft de langste landhuisgevel (184 meter) van Europa en beschikt over 3000 kamers en een oppervlakte van ruim 10.000 vierkante meter. Dit enorme statige huis stond model voor het huis van de hertog en hertogin van Cumberland. De zuilengalerij werd gebruikt voor de schermscène met Albert en de oude stallen werden omgetoverd tot de smerige dickensiaanse straatjes van het Londense East End.

BRAMHAM PARK

VEEL VAN DE BUITENSCÈNES op Windsor, hetzij op de paarden, hetzij in rijtuigen, werden gefilmd op het tachtig hectare grote landgoed van Bramham Park, in de buurt van Leeds. ‘Er liep een pad naar de voorkant van het huis, omzoomd door bomen, wat perfect was,’ aldus Jim Allen. ‘Daar hebben we dus gefilmd en het productieteam monteerde vervolgens Windsor Castle aan het eind, op de plek van Bramham. Voor het echte Great Park kun je elk park en bos pakken, omdat je dan toch het kasteel niet kunt zien.’

ALLERTON CASTLE

VOOR DE SOBERE EN IMPONERENDE omgeving van de Duitse kastelen waarin Albert, Ernst en Leopold in Saksen-Coburg woonden, werd gekozen voor dit prachtige landhuis in Noord-Yorkshire. Het rond 1850 door architect George Martin in neogotische tudorstijl gebouwde landhuis werd in 2005 in oude luister gerestaureerd, nadat een groot gedeelte van de noordvleugel door brand verwoest was.

ALEX JENNINGS, DIE KONING LEOPOLD SPEELT

'Sommige van mijn scènes speelden zich af in het kasteel van de familie in Duitsland, waarvoor Allerton Castle in Yorkshire gebruikt werd. Briljant gekozen, echt zo'n gigantisch gotisch gebouw. Ze decoreerden het met geweien en opgezette beesten en het zag er ongelooflijk echt uit allemaal. Dat hielp me enorm om me in te leven in de rol en in zijn achtergrond.'

MRS
JENKINS
SKERRETT

De troonsbestijging van koningin Victoria markeerde het begin van een nieuwe periode, zowel wat haar persoonlijke kledingstijl betrof als de Britse mode. Het Regency-tijdperk met zijn empirejurken en luchtige stoffen had al plaatsgemaakt voor een wijdere rok, hoge tailles en pofmouwen, maar toen Victoria koningin werd, veranderde de mode opnieuw.

> *Rond 1840 verdwenen de enorme pofmouwen, zakte de taillelijn weer en werd de kegelvormige rok vervangen door een klokvormige. Rokken werden steeds wijder en hadden onderrokken met steeds meer lagen, die op een gegeven moment zo zwaar werden dat vrouwen amper nog konden lopen. Op een gegeven moment kwam de crinoline in de mode, die het gewicht overnam en alle rokken ophield, die door hun gewicht dreigden af te zakken. Wat mode betreft was het een behoorlijk onderdrukkende tijd voor vrouwen: ze droegen korsetten, zware onderrokken, mouwen die zo strak zaten dat ze hun armen amper konden bewegen, en hoedjes met gezichtssluiers, die hun zicht belemmerden.*
>
> –Rosalind Ebbutt, kostuumontwerpster

Deze overgang is vooral duidelijk bij Victoria zelf, die op achttienjarige leeftijd, in haar nieuwe rol als koningin, van de ene op de andere dag volwassen moest worden.

> *Aan het begin van de serie draagt Victoria nog tamelijk kinderlijke jurken, met wijde mouwen. Zo gaat ze ook nog gekleed als ze als jonge koningin voor het eerst op de troon komt: een enthousiast jong meisje. Maar naarmate ze volwassener wordt, verandert ook haar stijl: de taillelijn gaat naar beneden en ook de vorm van de mouw verandert in de loop van haar ontwikkeling naar vrouw, echtgenote en moeder. Het was een goede manier om de overgang van Victoria van kind naar volwassen jonge vrouw te illustreren.*
>
> –Rosalind Ebbutt, kostuumontwerpster

MET MEER DAN DERTIG belangrijke spelers en talloze hofdames, bedienend personeel, bezoekende diplomaten en politici, plus honderden figuranten voor de massascènes, hadden Rosalind en haar kleine team van zes mensen genoeg te doen. Om al die mensen te kunnen kleden werden kleren deels nieuw gemaakt, deels kant-en-klaar gekocht, en deels gehuurd bij drie grote kostuumverhuurbedrijven.

> *Van Victoria's garderobe schat ik dat zo'n driekwart nieuw gemaakt was en een kwart gevonden, gehuurd of gekocht. Ik bezocht stoffenwinkels in Shepherd's Bush in Londen en vond daar alle stof die nodig was om daarvan de jurken voor de koningin te laten maken. De kostuums van sommige mensen waren helemaal nieuw en voor andere lieten we een paar onderdelen naaien.*
>
> ~ROSALIND EBBUTT, KOSTUUMONTWERPSTER

De formele jasjes van de mannen, in militaire stijl met veel gouden borduursels, werden bij speciaalzaken gehuurd, vanwege de hoge kosten om ze nieuw te maken. Het galatenue van Albert bijvoorbeeld, dat hij in Windsor droeg, was een heel donkere marineblauwe jas met overdadig borduurwerk in gouddraad rond de kraag, de manchetten en op de revers.

> *De kostuummakers naaiden onderdelen van een galatenue op een nieuwe jas, zodat we die dure gouden borduursels, die duizenden ponden kunnen kosten, niet hoefden te betalen. Wanneer je de stiksels goed bekijkt zie je dat het geen garen, maar heel dun gouddraad is, met garen erdoorheen, waardoor het eruitziet als een dunne goudspiraal. Hadden we zo'n jas nieuw laten maken, dan had dat al gauw 10.000 pond per jas gekost. En het weegt een ton!*
>
> ~ROSALIND EBBUTT, KOSTUUMONTWERPSTER

TOM HUGHES, DIE PRINS ALBERT SPEELT

'De kostuums waren prachtig. Veel was op maat gemaakt, waardoor ze perfect pasten en je automatisch de juiste houding aannam.

De jassen waren ongelooflijk zwaar, maar dat was eigenlijk wel prima, omdat we in een grote vliegtuighangar in Yorkshire filmden, waar het behoorlijk koud kon worden. Zo'n zware wollen jas was dan best handig. Ik was niet degene die met blote schouders en in een korset moest rondlopen, dus mij hoorde je niet klagen.

Het jasje van het trouwkostuum was het zwaarst, deels vanwege die gouden ketting en alle andere versieringen. Maar ik ben niet iemand die kan acteren met mijn telefoon in mijn zak, ik wil alles historisch correct hebben en daarom was het eigenlijk geweldig dat het kostuum voelde zoals het destijds ook gevoeld moet hebben, dat het gemaakt was van hetzelfde materiaal als toen. Bovendien was het een goede work-out!'

JENNA COLEMAN, DIE KONINGIN VICTORIA SPEELT

'Het lastigste was om in die fantastische kostuums door de modder van Yorkshire te lopen. Meestal droeg ik rubberen laarzen onder mijn koninginnenoutfit.'

Zodra kostuums niet meer nodig waren, konden ze tot compleet nieuwe outfits vermaakt worden voor andere scènes. Voor de bruiloft bijvoorbeeld had Rosalind acht crèmekleurige bruidsmeisjesjurken laten maken naar een ontwerp dat Victoria zelf in haar dagboek getekend had. Maar zodra de huwelijksscènes gedraaid waren, kregen ze een nieuw leven:

Vier lieten we zoals ze waren, de rest lieten we verven en we brachten nieuwe versieringen aan, zodat we ze als avondjaponnen konden gebruiken. Ik vond prachtig bordeauxrood kant in een winkeltje in Shepherd's Bush en toen ik de jurken opstuurde om te laten verven zei ik dat ze bij dat kant moesten passen. Uiteindelijk kregen ze een roze kleur, waardoor ze compleet onherkenbaar waren.

–Rosalind Ebbutt, kostuumontwerpster

Alle actrices droegen korsetten onder hun jurken en gewatteerde petticoats die, volgens Rosalind, een stuk lichter waren dan de historische variant.

De kostuums waren nogal oncomfortabel, maar heel mooi. De gewatteerde onderrokken waren letterlijk een soort dekbedden, maar dat was alleen maar prettig, omdat het behoorlijk koud was toen we filmden. Het waren geweldige kostuums. Zowel James Keast als Ros hebben een scherp oog voor kleur, maar ze deden ook veel onderzoek en de materialen waren buitengewoon. Zulke weefsels en kleuren zie je tegenwoordig niet meer in de winkels. Het voelde als een voorrecht om ze te mogen dragen.

–Anna Wilson-Jones, die Emma Portman speelt

Voor de grote staatsaangelegenheden liet kostuumontwerpster Rosalind Ebbutt zich inspireren door verschillende schilderijen uit die tijd, waaronder die van schilders als George Hayter en Franz Xaver Winterhalter. Van de trouwjurk van de koningin uit 1840 bestond een heel duidelijke beschrijving, en tekeningen die Victoria in haar dagboek geschetst had van haar sluier en hoofdtooi. De jurk zelf bestaat nog en is tentoongesteld in Kensington Palace, samen met het militaire jasje dat Albert droeg. Toch bleken die minder nuttig dan verwacht, zoals Rosalind uitlegde:

> *De bewaard gebleven trouwjurk is veranderd, omdat men het kant eraf gehaald heeft en onderdelen vermaakt zijn. Ook Alberts jasje hangt in Kensington, maar dat is al helemaal anders dan wat hij eigenlijk droeg, omdat koningin Victoria er na zijn dood extra versieringen op liet borduren, woorden als* mijn geliefde Albert *bijvoorbeeld, waardoor het er niet meer uitziet als het oorspronkelijke jasje.*
>
> *De sluier, zoals die in haar dagboek getekend is, lieten we van oud kant maken. Hij werd met speldjes in haar haar bevestigd en hield het gezicht vrij. Vervolgens lieten we een krans van sinaasappelbloesem voor op haar hoofd maken.*
>
> –Rosalind Ebbutt, kostuumontwerpster

Victoria's sleep, die door acht bruidsmeisjes gedragen moest worden, werd gemaakt van ruim zeven meter roomwit satijn, aan de onderkant beschermd met gordijnvoering, en langs de randen gedecoreerd met een ingewikkeld bloemenpatroon.

Tom Hughes, die Albert speelt, droeg een rood veldmaarschalksjasje met echte gouden epauletten en prachtige gouden borduursels. Als Victoria's echtgenoot werd hij automatisch lid van de Orde van de Kousenband, een reden voor de koningin om een bijzonder huwelijksgeschenk voor hem te laten maken.

> *Victoria liet een met diamanten bezette kousenband en een ordeketting voor hem maken. Voor zichzelf liet ze een extra lange diamanten ordeketting maken van speciaal lichtgewicht goud, zodat haar jurk niet naar beneden zou worden getrokken – daarvan hebben we een replica laten maken. De kousenband werd traditioneel rond de knie gedragen, maar koningin Victoria was de eerste vrouw die lid werd van de orde en om haar been zou hij niet zichtbaar zijn. Daarom liet ze er speciaal een maken die ze om haar arm kon binden, over haar mouw*
>
> .
>
> –Rosalind Ebbutt, kostuumontwerpster

NIET ALS MET DE MODE uit die tijd zorgde de komst van Victoria ook voor nieuwe trends in haar en make-up. De kapsels van vóór haar bewind waren bijzonder volumineus en flamboyant: met vlechten, knotjes boven op het hoofd, pijpenkrullen langs het gezicht en enorme haaraccessoires voor een nog dramatischer effect. Zoals styliste Nic Collins uitlegde:

Een kapsel met de naam 'Coiffure '37' was erg modieus destijds. Tijdens een bal dat Victoria bezoekt aan het begin van de serie heeft dan ook iedereen, ook de figuranten, zo'n overdreven kapsel met grote knot – de Apollo-knot – op het hoofd, met heel veel krullen. Victoria hield meer van eenvoud en wilde graag een ongecompliceerd kapsel. Haar nieuwe look had een scheiding in het midden met lage knotten of vlechtjes aan beide kanten van het gezicht; in de haarmode zakte het haar weer naar beneden.

-NIC COLLINS, STYLISTE

Voor Nic en haar team betekenden die oude, meer opvallende kapsels dat ze veel onderzoek moesten doen en nieuwe technieken moesten leren. Voor grote evenementen als de balscène moesten tot wel tweehonderd ingewikkelde kapsels per dag geconstrueerd worden. 'Maar het was ontzettend leuk om die stijlen uit het verleden opnieuw te creëren,' zei ze.

We vonden een plaatje van Louise Lehzen, waarop haar haren als een soort mand gevlochten waren, en dus gaven we haar personage datzelfde kapsel, op dezelfde manier gevlochten. Het kostte een hele dag om erachter te komen hoe je die mandvlechttechniek op het haar kon toepassen en hoe je het zo kon maken dat iemand die zelf niet genoeg haar heeft om dit kapsel van te maken, het een hele dag kon dragen op de set.

-NIC COLLINS, STYLISTE

VICTORIA
129
3
B

27

Voor Jenna Coleman, hoofdrolspeelster en vertolkster van het meest herkenbare personage uit de serie, was het van groot belang dat ze zo veel mogelijk op de echte koningin Victoria zou lijken. Haar sessies in de haar- en make-uptrailer, die naast de set stond, duurden met één uur en vijftien minuten dan ook het langst. Omdat Jenna zelf schouderlang haar heeft, moesten er extensions in gevlochten worden, zodat het gekapt kon worden in de losse knotten die de koningin zo mooi vond, of los kon hangen in de meer informele scènes in haar boudoir. Haar make-up werd vervolgens zo natuurlijk mogelijk aangebracht, passend bij de eenvoudige stijl uit die tijd.

Pruiken waren destijds niet meer zo populair, omdat er belasting op werd geheven. Ze verdwenen gewoon langzaam. De enigen die ze nog droegen waren de bedienden in livrei, geestelijken en rechters. In een document uit 1840 staan slechts negenhonderd pruiken dragende bedienden geregistreerd in heel Groot-Brittanië. Niet veel, wanneer je bedenkt dat in één huis al gauw zo'n negenhonderd mensen in dienst waren.

–Nic Collins, styliste

Op Kensington Palace, waar sir John Conroy de financiën beheerde, waren de pruiken al afgeschaft, maar na de troonsbestijging van de koningin, toen het huishoudelijk personeel mee naar Buckingham Palace verhuisde, veranderde dat.

Het personeel dat van Kensington mee naar Buckingham Palace kwam moest ze weer gaan dragen en Penge haatte het. Hoewel hij op Kensington ook een pruik gehad had, droeg hij die nooit. We hadden voor hem dus twee verschillende pruiken nodig – de oude voddige en de meer deftige, nettere pruik die hij in het paleis krijgt.

–Nic Collins, styliste

De pruiken kostten tot vierduizend pond per stuk, en om ze mooi te houden beschikte de haar- en make-uptrailer over een bijzonder apparaat – een pruikenoven. Het haar werd om houten rollers gewikkeld en vervolgens in de oven letterlijk in vorm gebakken. 'De pruikenoven voorkwam dat de kapsels hun vorm verloren,' legde Nic uit. 'Zonder die oven hadden we ze nooit twaalf uur achter elkaar kunnen dragen op de set.'

ROLVERDELING

Jenna Coleman – Victoria
Rufus Sewell – Lord Melbourne
Tom Hughes – Prins Albert
Catherine H. Flemming – Hertogin van Kent
Daniela Holtz – Barones Louise Lehzen
Paul Rhys – Sir John Conroy
Adrian Schiller – Penge
Tommy Lawrence Knight – Brodie
Eve Myles – Mevrouw Jenkins
Nell Hudson – Juffrouw Skerrett
Margaret Clunie – Hertogin van Sutherland
Anna Wilson-Jones – Lady Emma Portman
Peter Firth – Hertog van Cumberland
Nichola McAuliffe – Hertogin van Cumberland
Peter Bowles – Hertog van Wellington
Nigel Lindsay – Sir Robert Peel
Robin McCallum – Lord Portman
Pete Ivatts – Aartsbisschop van Canterbury
Alice Orr-Ewing – Lady Flora Hastings
Tom Price – Hertog van Sutherland
Alex Jennings – Leopold
David Oakes – Prins Ernst
Jordan Waller – Lord Alfred Paget
Andrew Bicknell – Hertog van Coburg
Nicholas Agnew – Prins George
Ferdinand Kingsley – Charles Francatelli
Basil Eidenbenz – Lohlein
Daniel Donskoy – Grootvorst Alexander Nikolajevitsj
Robin Soans – Sir James Clark
Guy Oliver Watts – Sir George Hayter
Nicholas Agnew – Prins George
Julian Finnigan – Lord Hastings
Richard Dixon – Lord Chancellor
Simon Paisley Day – Lord Chamberlain
Andrew Bicknell – Hertog van Coburg
David Bamber – Hertog van Sussex
Claire Willie – Lady Peel
Ben Abell – Rowland Hill
Samantha Colley – Eliza
James Wilby – Sir Piers Giffard
Harry McEntire – Edward Oxford
Andrew Scarborough – Kapitein Childers
Annabel Mullion – Lady Beatrice

FOTOVERANTWOORDING

Alle foto's komen uit de tv-serie *Victoria* en zijn van Gareth Gatrell © Mammoth Screen Limited 2016, met uitzondering van de volgende:

19th era/Alamy Stock Photo blz. 87; Antiqua Print Gallery/Alamy Stock Photo blz. 225; Bridgeman Images blz. 26; Chronicle/Alamy Stock Photo blz.36, 157, 219, 221 (links); Collaboration JS/Arcangel Images (grote foto) blz. 192; David Cole/Alamy Stock Photo blz. 120; Falkensteinfoto/Alamy Stock Photo blz. 95; Fotomas/TopFoto blz. 221 (rechts); Getty Images blz. 223; Granger Historical Picture Archive/Alamy Stock Photo blz. 23, 227; Hare Majesteit Queen Elizabeth II, 2016/Bridgeman Images blz. 21 (onderaan), 25, 32, 135; Heritage Image Partnership Ltd/Alamy Stock Photo blz. 202, 204; https://archive org/stream/McGillLibrary-95770-33/95770#page/n553/mode/2up blz189 (bovenaan); Hulton Archive/Getty Images blz. 254; Ivy Close Images/Alamy Stock Photo Koningin Victoria's handtekening op blz. 109, 156; John Frost Newspapers/Alamy Stock Photo blz. 85; Linda Steward/Getty Images (victoriaanse rand) blz. 66; Liszt Collection/TopFoto blz. 147; Look and Learn/Bridgeman Images blz. 134 (links), 244; Look and Learn/Peter Jackson Collection/Bridgeman Images blz. 74; Mary Evans Picture Library blz. 22, 40, 152, 189 (onderaan), 216, koninklijk wapen van koningin Victoria (op blz. 27, 28, 55, 61, 109, 115); Mary Evans Picture Library/Alamy Stock Photo blz. 63, 214; Medici/Mary Evans Picture Library blz. 35; Philip Mould Ltd, London/Bridgeman Images blz. 137; Pictorial Press Ltd/Alamy Stock Photo blz. 268; Popperfoto/Getty Images blz. 250; Private Collection/Bridgeman Images blz. 125, 151; Private Collection/Bridgeman Images (bovenaan), Granger Historical Picture Archive/Alamy Stock Photo blz. 233 (onderaan); Reilika Landen/Arcangel Images (grote foto), Tom Pilston/The Independent/REX/Shutterstock (brief) blz. 106, 164; Shutterstock blz. 134, 164; The Art Archive/Alamy Stock Photo blz. 210; The Crown Estate/Bridgeman Images (bovenaan), Hare Majesteit koningin Elizabeth II, 2016/Bridgeman Images blz. 141 (onderaan); The Print Collector/Getty Images blz. 100, 113; The Print Collector/HIP/TopFoto blz. 192 (postzegel), blz. 231 (beide); Tom Pilston/The Independent/REX/Shutterstock blz. 72, blz. 164; TopFoto blz. 18, 188; Universal History Archive/Getty Images blz. 46; Wallace Collection, London, UK/Bridgeman Images blz. 86; www.thegazette.co.uk/London/issue/17480/page/905 blz. 21 (bovenaan).

www.uitgeverijkarmijn.nl

Originally published in the English language by HarperCollins Publishers Ltd. under the title *The Victoria Letters*

Alle andere afbeeldingen: zie pagina 303
Ontwerp binnenwerk Smith & Gilmore
Alle quotes in de kantlijn zijn afkomstig uit de tv-serie Victoria en komen uit het script van Daisy Goodwin
Alle interviews met acteurs en filmcrew zijn afgenomen door Alison Maloney, met uitzondering van die op pagina 273-74
De dagboeken van koningin Victoria zijn gedigitaliseerd en voor de liefhebber terug te vinden op www.queenvictoriasjournals.org

Nederlandse vertaling Hilke Makkink
Opmaak binnenwerk Jolijn Wildeman, Brainpink
Omslagontwerp Arno Spaansen, Brainpink
ISBN 978 9492 168 290
NUR 698